강건하시길 빌며

2024년 겨울

한강

작별하지 않는다

HAN KANG
SPECIAL EDITION

작별하지 않는다

한강

장편소설

문학동네

차례

1부

새

1

결정結晶

성근 눈이 내리고 있었다.

내가 서 있는 벌판의 한쪽 끝은 야트막한 산으로 이어져 있었는데, 등성이에서부터 이편 아래쪽까지 수천 그루의 검은 통나무들이 심겨 있었다. 여러 연령대의 사람들처럼 조금씩 다른 키에, 철길 침목 정도의 굵기를 가진 나무들이었다. 하지만 침목처럼 곧지 않고 조금씩 기울거나 휘어 있어서, 마치 수천 명의 남녀들과 야윈 아이들이 어깨를 웅크린 채 눈을 맞고 있는 것 같았다.

묘지가 여기 있었나, 나는 생각했다.

이 나무들이 다 묘비인가.

우듬지가 잘린 단면마다 소금 결정 같은 눈송이들이 내려앉은 검은 나무들과 그 뒤로 엎드린 봉분들 사이를 나는 걸었다. 문득 발을 멈춘 것은 어느 순간부터 운동화 아래로 자작자작 물이 밟혔기 때문이었다. 이상하다, 생각하는데 어느 틈에 발등까지 물이 차올랐다. 나는 뒤를 돌아보았다. 믿을 수 없었다. 지평선인 줄 알았던 벌판의 끝은 바다였다. 지금 밀물이 밀려오는 거다.

나도 모르게 소리 내어 물었다.

왜 이런 데다 무덤을 쓴 거야?

점점 빠르게 바다가 밀려들어오고 있었다. 날마다 이렇게 밀물이 들었다 나가고 있었던 건가? 아래쪽 무덤들은 봉분만 남고 뼈들이 쓸려가버린 것 아닌가?

시간이 없었다. 이미 물에 잠긴 무덤들은 어쩔 수 없더라도, 위쪽에 묻힌 뼈들을 옮겨야 했다. 바다가 더 들어오기 전에, 바로 지금. 하지만 어떻게? 아무도 없는데. 나한텐 삽도 없는데. 이 많은 무덤들을 다 어떻게. 어쩔 줄 모르는 채 검은 나무들 사이를, 어느새 무릎까지 차오른 물을 가르며 달렸다.

눈을 뜨자 아직 동이 트지 않았다. 눈 내리는 벌판도, 검은 나무들도, 밀려드는 바다도 없는 어두운 방의 창문을 바라보다 눈을 감았다. 다시 그 도시에 대한 꿈이었다는 것을 깨닫고, 차가운 손바닥으로 두 눈을 덮고서 더 누워 있었다.

*

그 꿈을 꾼 것은 2014년 여름, 내가 그 도시의 학살에 대한 책을 낸 지 두 달 가까이 지났을 때였다. 그후 사 년의 시간이 흐르는 동안 나는 그 꿈의 의미를 의심하지 않았다. 그 도시에 대한 꿈만이 아니었을지도 모른다고, 빠르고 직관적이었던 그 결론은 내 오해였거나 너무 단순한 이해였는지도 모른다고 처음 생각한 것은 지난여름이었다.

스무 날 가까이 열대야가 계속되던 무렵이었다. 나는 언제나처럼 거실의 고장난 에어컨 아래 누워 잠을 청하고 있었다. 찬물 샤워를 이미 수차례 했지만, 땀에 젖은 몸은 마룻바닥에 등을 대고 있어도 식지 않았다. 새벽 다섯시경에야 약간 기온이 내려가는 게 느껴졌다. 삼십 분 뒤면 다시 해가 떠오를 테니 짧게 찾아오는 은총이었다. 마침내 잠시 잠들 수 있을 것 같다고, 아니, 거의 잠들었다고 느꼈을 때였다. 감은 눈꺼풀 속으로 별안간 그 벌판이 밀려들어왔다. 수천 그루의 검은 통나무들 위로 흩어지던 눈발이, 잘린 우듬지마다 소금처럼 쌓여 빛나던 눈송이들이 생시처럼 생생했다.

그때 왜 몸이 떨리기 시작했는지 모른다. 마치 울음을 터뜨리는 순간과 같은 떨림이었지만, 눈물 같은 건 흐르지도, 고이지도 않았다. 그걸 공포라고 부를 수 있을까? 불안이라고, 전율이라고, 돌연한 고통이라고? 아니, 그건 이가 부딪히도록 차가운 각성 같은 거였다. 보이지 않는 거대한 칼이—사람의 힘으로 들어올릴 수도 없을 무거운 쇳날이—허공에 떠서 내 몸을 겨누고 있는 것 같았다. 나는 그걸 마주 올려다보며 누워 있는 것 같았다.

봉분 아래의 뼈들을 휩쓸어가기 위해 밀려들어오던 그 시퍼런 바다가, 학살당한 사람들과 그후의 시간에 대한 것이 아니었는지도 모른다고 그때 처음 생각했다. 다만 개인적인 예언이었는지도 모른다고. 물에 잠긴 무덤들과 침묵하는 묘비들로 이뤄진 그곳이, 앞으로 남겨질 내 삶을 당겨 말해주고 있었는지도 모른다고.

그러니까 바로 지금을.

*

처음 그 꿈을 꾸었던 밤과 그 여름 새벽 사이의 사 년 동안 나는 몇 개의 사적인 작별을 했다. 어떤 것들은 나의 의지로 택했지만, 어떤 것은 상상조차 하지 못했으며 모든 걸 걸고라도 멈추고 싶은 것이었다. 오래된 여러 신앙들에서 말하는 것처럼 사람들의 일거수일투족을 지켜보며 기록하는 거대한 거울과 같은 것이 천상이나 명부 어딘가에 존재한다면, 거기 담긴 나의 지난 사 년은 껍데기에서 몸을 꺼내 칼날 위를 전진하는 달팽이 같은 무엇이었을 것이다. 살고 싶어하는 몸. 움푹 찔리고 베이는 몸. 뿌리치고 껴안고 매달리는 몸. 무릎 꿇는 몸. 애원하는 몸. 피인지 진물인지 눈물인지 모를 것이 끝없이 새어나오는 몸.

그 모든 안간힘이 지나간 늦봄, 서울 근교의 이 복도식 아파트로 세를 얻어 들어온 거였다. 더이상 돌볼 가족도, 일을 할 직장도 남아 있지 않다는 사실이 실감나지 않았다. 오랜 시간 나는 일을 해서 생계를 꾸리는 동시에 가족을 돌봐왔다. 그 두 가지 일이 우선이었으므로 글은 잠을 줄여서 썼고, 언젠가 마음껏 글을 쓸 시간이 주어지기를 은밀히 바라왔다. 하지만 그런 종류의 갈망은 이제 더 남아 있지 않았다.

이삿짐센터에서 대강 부려놓은 대로 물건들을 놓아두고, 7월이 올 때까지 대부분의 시간을 침대에 누워 보냈지만 잠은 거의 자지 못했다. 음식을 만들지 않았다. 현관 밖으로 나가지도 않았다. 인터넷 주문으로 배달받은 물과 약간의 밥과 백김치를 먹었으며, 위경련을 동반하는 편두통이 시작되면 먹은 것을 모두 변기에 토했다. 유서는 어느 밤 이미 써두었다. 몇 가지 일을 부탁드립니다, 라는 문장으로 시작되는 그 편지에는 어느 서랍 속 상자에 통장들과 보험증서와 전세 계약서가 있는지, 내가 남길 돈의 얼마만큼이 어디에 쓰이기를 원하는지, 그 나머지가 어떤 이들에게 전달되기를 원하는지 간략하게 적어두었지만 정작 그 부탁을 들어줄 수신인의 자리는 비어 있었다. 그런 폐를 끼쳐도 될 사람이 누구인지 확신할 수 없어서였다. 수고를 맡아줄 이에게 얼마의 구체적인 사례를 하겠다는 감사와 사과의 문장을 덧붙여보기도 했지만, 끝내 수신인의 이름을 적어넣을 수 없었다.

잠시도 잠들 수 없었던, 그러나 빠져나올 수도 없었던 침대에서 마침내 내 몸을 일으킨 것은 바로 그 미지의 수신인에 대한 책임감이었다. 남은 일을 수습해야 할, 아직 그 당사자로 확정되지 않은 몇 명의 지인들을 떠올리며 집을 정리하기 시작했다. 부엌에 쌓인 생수 페트병들을, 골칫거리가 될 내 옷과 이불들을, 일기와 수첩 같은 기록들을 폐기해야 했다. 첫번째 쓰레기 묶음들을 양손에 들고, 두 달 만에 운동화를 꿰어 신고 현관문을 열었다. 마치 처음 보는 것 같은 오후의 여름 햇빛이 서향 복도에 쏟아지고 있었다. 엘리베이터를 타고 내려가, 경비실을 지나 아파트 광장을 가로질러 걸으며 나는 무언가를 목격하고 있다고 느꼈다. 인간들이 살아가는 세계를. 그날의 날씨를. 공기 중의 습도와 중력의 감각을.

집으로 돌아와, 거실 가득 쌓아둔 물건들로 두번째 묶음을 만드는 대신 욕실로 들어갔다. 옷을 벗지 않은 채 샤워기의 뜨거운 물을 틀고 그 아래 앉아 있었다. 오그린 발바닥으로 느껴지던 타일 바닥의 표면과 점점 숨을 막히게 하던 수증기, 흠뻑 젖어 등에 달라붙어 있던 면 셔츠, 눈을 덮도록 자라난 앞머리를 타고 턱으로, 가슴과 배로 흘러내리던 뜨거운 물줄기의 감각을 기억한다.

욕실을 나와 젖은 옷을 벗고, 아직 버리지 않은 옷 더미 속에서 쓸 만한 걸 찾아 입었다. 만원권 지폐 두 장을 여러 번 접어 호주머니에 넣고 현관을 나섰다. 가까운 전철역 뒤편의 죽집까지 걸어가 가장 부드러워 보이는 잣죽을 시켰다. 지나치게 뜨거운 그걸 천천히 먹는 동안, 유리문 밖으로 지나가는 모든 사람들의 육체가 깨어질 듯 연약해 보였다. 생명이 얼마나 약한 것인지 그때 실감했다. 저 살과 장기와 뼈와 목숨 들이 얼마나 쉽게 부서지고 끊어져버릴 가능성을 품고 있는지. 단 한 번의 선택으로.

그렇게 죽음이 나를 비껴갔다. 충돌할 줄 알았던 소행성이 미세한 각도의 오차로 지구를 비껴 날아가듯이. 반성도, 주저도 없는 맹렬한 속력으로.

*

인생과 화해하지 않았지만 다시 살아야 했다.

두 달 남짓한 은둔과 근 기아 상태로 상당량의 근육이 소실되어 있다는 것을 나는 깨달았다. 편두통과 위경련, 카페인 함량이 높은 진통제 복용의 악순환을 끊기 위해서는 규칙적으로 먹고 몸을 움직여야 했다. 그러나 제대로 노력해보기 전에 폭염이 시작되었다. 낮 최고기온이 사람의 체온을 처음 넘어섰을 때 예전 세입자가 두고 간 에어컨을 틀어보았지만 작동되지 않았다. 어렵게 통화가 된 에어컨 수리 업체들은 이상기온에 따른 예약 폭주로 8월 하순에야 출장을 올 수 있다고 말했다. 신제품을 사려 해도 사정은 마찬가지였다.

어디로든 에어컨이 있는 곳으로 피하는 편이 현명했을 것이다. 하지만 사람들이 모여 있는 카페나 도서관, 은행 같은 곳으로는 가고 싶지 않았다. 내가 할 수 있는 일은 거실 바닥에 등을 붙이고 누워 가능한 한 체온을 낮추는 것, 땀구멍이 막혀 열사병에 걸리지 않도록 자주 찬물 샤워를 하는 것, 거리의 열기가 조금이나마 식은 저녁 여덟시경에 집을 나서 죽을 먹고 돌아오는 것이었다. 냉방이 된 죽집의 실내는 믿을 수 없을 만큼 쾌적했고, 안팎의 기온차와 바깥의 습도 때문에 겨울밤처럼 김이 서린 유리문 밖으로는 휴대용 선풍기를 가슴 위로 켜 들고 귀가하는 사람들의 물결이 이어졌다. 이제 곧 내가 다시 걸어들어가야 할, 영원처럼 식지 않는 열대야의 거리를 채우며.

그렇게 죽집을 나와 집으로 돌아오던 어느 밤, 아직 달궈진 차도의 아스팔트로부터 세차게 불어오는 열풍을 얼굴에 맞으며 신호등 앞에 서 있었다. 편지를 이어서 써야 한다고 그때 생각했다. 아니, 새로 써야 한다고. 유성 사인펜으로 겉봉에 유서, 라고 적어둔, 수신인을 끝내 정하지 못했던 그 글을, 처음부터 다시. 완전히 다른 방식으로.

*

그걸 쓰려면 생각해야 했다.

어디서부터 모든 게 부스러지기 시작했는지.
언제가 갈림길이었는지.
어느 틈과 마디가 임계점이었는지.

어떤 사람들은 떠날 때 자신이 가진 가장 예리한 칼을 꺼내든다는 것을 우리는 경험으로 안다. 가까웠기에 정확히 알고 있는, 상대의 가장 연한 부분을 베기 위해.

반쯤 넘어진 사람처럼 살고 싶지 않아, 당신처럼.

살고 싶어서 너를 떠나는 거야.
사는 것같이 살고 싶어서.

*

2012년 겨울, 그 책을 쓰기 위해 자료를 읽으면서부터 악몽을 꾸기 시작했다. 처음에는 직접적인 폭력이 담긴 꿈들이었다. 공수

부대를 피해 달아나다 어깨를 곤봉으로 맞고 쓰러졌다. 엎어진 내 옆구리를 발로 차서 몸을 뒤집던 군인의 얼굴을 이제 나는 기억하지 못한다. 착검한 총을 두 손으로 모아쥔 그가 힘껏 내 가슴을 내리 찔렀을 때의 전율만 남아 있다.

가족에게—특히 딸에게—어두운 영향을 주고 싶지 않았으므로 집에서 도보 십오 분 거리에 작업실을 얻었다. 글쓰기는 작업실에서만 하고, 그곳을 나서는 즉시 아무렇지 않은 일상으로 돌아올 계획이었다. 80년대에 지어진, 삼십 년 넘게 수리를 거의 하지 않은 벽돌집 이층의 방 한 칸이었다. 생채기투성이 철문은 흰 수성페인트를 사서 칠하고, 너무 낡아 틈이 벌어진 나무 창틀은 커튼 대신 스카프를 압정으로 달아 가렸다. 강의가 있는 날에는 아침 아홉시부터 정오까지, 강의가 없는 날에는 오후 다섯시까지 그곳에서 자료를 읽고 메모를 했다.

언제나처럼 아침과 저녁이면 요리를 해서 가족과 함께 먹었다. 막 중학교에 들어가 새로운 상황들과 부딪쳐야 하는 딸과 되도록 많은 대화를 하려고 노력했다. 그러나 마치 몸이 절반으로 갈라지듯, 그 모든 사적인 순간들에까지 그 책의 그림자가 어른거리고 있었다. 가스레인지의 불을 켜고 냄비의 물이 끓기를 기다릴 때. 두부를 계란물에 적셔 프라이팬에 올려놓고 앞뒷면이 모두 노릇노릇해지는 걸 지켜보는 짧은 시간에.

작업실로 가는 길은 천변을 따라 나 있었는데, 무성한 나무들 사이를 걷다가 아래쪽으로 경사가 지며 갑자기 사방이 탁 트이는 구간이 있었다. 그 개방된 길을 삼백 미터가량 걸어야 롤러스케이트장으로도 쓰이는 다리 밑 공터에 다다를 수 있었다. 무방비 상태로 내 몸이 노출되는 그 길이 언제나 멀게 느껴졌다. 일차선 도로 건너편 건물들의 옥상에서 저격수가 사람들을 조준하고 있을 것 같았기 때문이었다. 그게 말도 안 되는 불안이라는 사실은 물론 알고 있었다.

수면의 질이 차츰 더 나빠지고 호흡이 짧아지던—왜 숨을 그렇게 쉬는 거야, 라고 아이가 어느 날 나에게 불평했다—2013년 늦봄이었다. 새벽 한시경 악몽에 소스라치며 일어나, 다시 잠을 이루는 걸 포기하고 생수를 사려고 집을 나왔다. 사람도 차도 없으므로 사실상 의미 없는 신호등이 초록불로 바뀌기를 기다리며, 아파트 앞 이차선 도로 맞은편에 불을 밝힌 이십사 시간 편의점을 건너다보고 있었다. 문득 정신이 들었을 때, 건너편 인도를 따라 서른 명가량의 남자들이 소리 없이 줄을 지어 걷고 있는 게 보였다. 머리를 길게 기르고 예비군복을 입은 그 남자들은 장총을 어깨에 메고, 군기를 전혀 느낄 수 없는 느슨한 자세로, 앞서가는 소풍 행렬을 따르는 피곤한 아이들처럼 느린 걸음으로 걷고 있었다.

오랫동안 깊은 잠을 자지 못했으며 악몽과 생시가 불분명하게 뒤섞인 시기를 통과하고 있는 사람에게 믿기지 않는 장면이 포착될 때, 아마도 그의 첫번째 반응은 자신에 대한 의심일 것이다. 내가 정말 저것을 보고 있는가? 이 순간은 악몽의 일부가 아닌가? 나의 감각을 얼마나 신뢰할 수 있는가?

누군가가 음소거 버튼을 누른 것처럼 정적에 싸인 그들의 뒷모습이 어두운 네거리를 돌아 완전히 사라지는 것을 나는 꼼짝 않고 지켜보았다. 꿈이 아니었다. 조금도 졸리지 않았다. 술 같은 건 한 방울도 마시지 않았다. 하지만 그 순간 내가 본 것을 믿을 수도 없었다. 우면산 너머 내곡동의 예비군 훈련장에서 훈련중인 사람들이 한밤의 행군을 하고 있었을지도 모른다고 생각해보았다. 그렇다면 그들은 캄캄한 산을 넘어 새벽 한시까지 십여 킬로미터 거리를 걸어왔어야 한다. 그런 종류의 훈련이 예비군들에게 가능한 것인지 나는 알 수 없었다. 다음날 아침이 되었을 때, 병역을 마친 주변의 누구에게든 전화를 걸어 묻고 싶었지만, 내가 이상한 사람으로 보이는 것을 원하지 않았으므로—스스로 정말 이상하다고 느껴졌으므로—지금까지도, 누구에게도 말을 꺼내지 못했다.

*

모르는 여자들과 함께, 그녀들의 아이들과 손을 나눠 잡고 서로 도우며 우물 안쪽 벽을 타고 내려갔다. 아래쪽은 안전할 줄 알았는데, 예고 없이 수십 발의 총탄이 우물 입구에서 쏟아져내렸다. 여자들이 아이들을 힘껏 안아 품속에 숨겼다. 바싹 마른 줄 알았던 우물 바닥에서 고무를 녹인 듯 끈끈한 풀물이 차올랐다. 우리들의 피와 비명을 삼키기 위해.

*

얼굴을 기억할 수 없는 일행들과 버려진 도로를 걷고 있었다. 갓길에 주차한 검은 승용차가 보였을 때 누군가 말했다. 저 안에 타고 있어. 이름을 말하지 않았지만 모두 그 말을 정확히 이해했다. 그해 봄에 학살을 명령한 자가 거기 있다는 것을. 우리가 멈춰서서 바라보는 사이 승용차가 출발해 인근의 커다란 석조건물로 들어갔다. 우리 중 누군가가 말했다. 가자, 우리도. 그쪽으로 우리는 걸어갔다. 분명히 여럿이 출발했는데, 텅 빈 건물 안으로 들어섰을 때 남은 사람은 나를 포함해 둘뿐이었다. 얼굴을 기억할 수 없는 누군가가 조용히 내 곁에 있었다. 성별이 남자라는 걸, 어쩌지 못하고 나를 따라오고 있다는 걸 느낄 수 있었다. 둘뿐인데 우리가 뭘 할 수 있나. 어둑한 홀 끝의 방에서 불빛이 새어나왔다. 우리가 그곳으로 들어가자 살인자가 벽을 등지고 서 있었다. 불붙은 성냥개비 하나를 쥐고. 나와 일행의 손에도 성냥개비가 들려 있다는 걸 갑자기 깨달았다. 이 성냥개비가 다 탈 때까지만 말할 수 있는 거다. 아무도 이야기해주지 않았는데, 그게 규칙이라는 걸 우리는 알았다. 살인자의 성냥개비는 이미 거의 다 타서 엄지손가락에 막 불꽃이 닿으려 했다. 나와 일행의 성냥개비는 아직 남았지만 빠르게 타들어가고 있었다. 살인자, 라고 말해야 한다고 나는 생각했다. 입을 열어 나는 말했다.

살인자.

목소리가 새어나오지 않았다.

살인자.

더, 더 크게 말해야 한다.

…… 어떻게 할 거야, 네가 죽인 사람들을?

온 힘을 다해 말을 잇다 퍼뜩 생각했다. 지금 그를 죽여야 하는 건가. 이게 모두에게 마지막 기회인가. 하지만 어떻게? 그걸 우리가 어떻게. 옆을 돌아보자, 얼굴도 숨소리도 희미한 일행의 가냘픈 성냥개비가 오렌지색 불꽃을 뿜으며 사그라들고 있었다. 그 불빛 속에서 생생히 느꼈다. 그 성냥개비의 주인이 얼마나 어린지. 키만 웃자란 소년이라는 걸.

*

원고를 완성한 이듬해 1월에 출판사를 찾았다. 가능한 한 빨리 책을 내달라는 부탁을 하기 위해서였다. 어리석게도 책을 내고 나면 더이상 악몽을 꾸지 않을 거라고 생각했던 것이다. 편집자는 5월에 맞춰 출간 일정을 잡는 편이 마케팅에 더 좋을 거라고 했다.

시기를 맞춰 출간해서, 한 사람이라도 더 읽게 되는 게 좋지 않겠어요?

그 말에 설득되었다. 기다리는 동안 한 장章을 다시 썼고, 거꾸로 편집자의 독촉에 쫓기며 최종 원고를 4월에 넘겼다. 책은 거의 정확하게 5월 중순에 맞춰 나왔다. 악몽은 물론 그후에도 계속되었다. 이제는 오히려 의아하게 생각한다. 학살과 고문에 대해 쓰기로 마음먹었으면서, 언젠가 고통을 뿌리칠 수 있을 거라고, 모든 흔적들을 손쉽게 여읠 수 있을 거라고, 어떻게 나는 그토록 순진하게—뻔뻔스럽게—바라고 있었던 것일까?

*

그리고 처음 그 검은 나무들의 꿈을 꾸고 일어나, 두 눈 위로 차가운 손바닥을 덮고 누워 있던 그 밤이 있다.

깨어난 뒤에도 어디에선가 계속되고 있을 것 같은 꿈들이 가끔 있는데, 그 꿈이 그랬다. 밥을 먹고 차를 끓여 마시고, 버스를 타고, 아이의 손을 잡고 산책을 하고, 여행 가방을 꾸리고, 지하철역사의 끝없는 계단들을 딛고 올라가는 한편에서, 한 번도 가본 적 없는 그 벌판에 눈이 내린다. 우듬지가 잘린 검은 나무들 위로 눈부신 육각형의 결정들이 맺혔다 부스러진다. 발등까지 물에 잠긴 내가 놀라 뒤돌아본다. 바다가, 거기 바다가 밀려들어온다.

계속해서 떠오르는 그 광경에 마음이 쓰여 그해 가을 생각했다. 적당한 장소를 찾아 통나무들을 심을 수 있지 않을까. 현실적으로 수천 그루가 어렵다면 아흔아홉 그루—무한으로 열리는 숫자—를 심고, 뜻이 맞는 사람들 여남은 명과 힘을 합해 그 나무들의 몸에 먹을 입힐 수 있지 않을까. 깊은 밤으로 지은 옷을 입히듯 정성스럽게, 영원히 잠이 부스러지지 않도록. 그 모든 일이 끝난 뒤, 바다 대신 흰 천 같은 눈이 하늘에서부터 밀려내려와 그들을 덮어주길 기다릴 수 있지 않을까.

그 과정을 짧은 기록영화로 만들자고, 한때 사진과 다큐멘터리 영화 작업을 했던 친구에게 나는 제안했다. 그녀는 흔쾌히 좋다고 했다. 함께 실현하기로 약속했지만, 두 사람의 일정이 꼭 맞는 때가 좀처럼 오지 않은 채 사 년이 흘러갔다.

*

그리고 그 폭염의 밤, 아스팔트의 열풍을 맞으며 텅 빈 집으로 걸어 돌아와 찬물 샤워를 하는 내가 있다. 밤마다 위아래 집과 옆집에서 에어컨을 켜기 때문에, 실외기들이 토해내는 뜨거운 바람을 집안으로 들이지 않으려면 베란다 문과 창문들을 모두 닫아야 한다. 밀폐된 습식 사우나 같은 거실에서, 방금 끼얹은 냉수의 서늘함이 사라지기 전에 나는 책상 앞에 앉는다. 거기 올려놓은, 여전히 수신인이 정해지지 않은 유서를 봉투째 찢어버린다.

처음부터 다시 써.

그건 언제나 옳은 주문呪文이다.

처음부터 나는 다시 쓴다. 오 분이 채 지나지 않아 비 오듯 땀이 흐르기 시작한다. 다시 찬물 샤워를 하고 책상으로 돌아온다. 조금 전에 쓴 형편없는 것을 다시 찢어버린다.

처음부터 다시 써.

진짜 작별인사를, 제대로.

물잔에 빠뜨린 각설탕처럼 내 사적인 삶이 막 부스러지기 시작하던 지난해의 여름, 이후의 진짜 작별들이 아직 전조에 불과했던 시기에 '작별'이란 제목의 소설을 썼었다. 진눈깨비 속에 녹아서 사라지는 눈-여자의 이야기였다. 하지만 그게 정말 마지막 인사일 순 없다.

이마에서 흐르는 땀에 눈이 매워 계속할 수 없을 때마다 찬물로 몸을 씻었다. 책상으로 돌아와서는 방금 쓴 것을 다시 찢었다. 아직도 처음부터 다시 시작해야 할 편지를 남겨둔 채 끈끈한 몸으로 거실 바닥에 누웠을 때에는 파랗게 동이 터오고 있었다. 은총처럼 기온이 조금 내려가는 게 느껴졌다. 잠시 눈을 붙일 수 있을 것 같았고, 정말로 막 잠들었다고 느꼈을 때 그 벌판에 눈이 내렸다. 수십 년, 아니 수백 년 동안 멈추지 않고 내려온 것 같은 눈이.

*

아직 무사해.

거대하고 육중한 칼이 허공에서 나를 겨눈 것 같은 전율 속에서, 눈을 부릅뜸으로써 그 벌판으로부터 도망치지 않은 채 나는 생각했다.

비탈진 능선부터 산머리까지 심겨 있는 위쪽의 나무들은 무사하다, 밀물이 그곳까지 밀고 올라갈 순 없으니까. 그 나무들 뒤의 무덤들도 무사하다, 바다가 거기까지 차오를 리는 없으니까. 거기 묻힌 수백 사람의 흰 뼈들은 깨끗이, 서늘하게 말라 있다. 그것들까지 바다가 휩쓸어갈 순 없으니까. 밑동이 젖지도, 썩어들어가지도 않은 검은 나무들이 눈을 맞으며 거기 서 있다. 수십 년, 아니 수백 년 동안 내리는 눈을.

그때 알았다.

파도가 휩쓸어가버린 저 아래의 뼈들을 등지고 가야 한다. 무릎까지 퍼렇게 차오른 물을 가르며 걸어서, 더 늦기 전에 능선으로. 아무것도 기다리지 말고, 누구의 도움도 믿지 말고, 망설이지 말고 등성이 끝까지. 거기, 가장 높은 곳에 박힌 나무들 위로 부스러지는 흰 결정들이 보일 때까지.

시간이 없으니까.

단지 그것밖엔 길이 없으니까, 그러니까

계속하길 원한다면.

삶을.

2
실

그러나 여전히 깊이 잠들지 못한다.

여전히 제대로 먹지 못한다.

여전히 숨을 짧게 쉰다.

나를 떠난 사람들이 못 견뎌했던 방식으로 살고 있다, 아직도.

압도적인 성량으로 끊임없이 세계가 말을 걸어오는 것 같던 여름이 갔다. 더이상 매 순간 땀 흘리지 않아도 된다. 온몸에 힘을 빼고 거실 바닥에 누워 있지 않아도 된다. 열사병에 걸리지 않기 위해 수없이 찬물 샤워를 하지 않아도 된다.

세계와 나 사이에 소슬한 경계가 생긴다. 긴소매 셔츠에 청바지를 꺼내 입고, 증기 같은 열풍이 더이상 불어오지 않는 도로변을 걸어 나는 식당에 간다. 여전히 요리를 할 수 없다. 한끼 이상의 식사를 할 수도 없다. 누군가를 위해 음식을 만들고 함께 먹었던 기억을 견딜 수 없기 때문이다. 그러나 규칙들이 돌아온다. 여전히 사람들을 만나지 않고 전화를 받지 않지만, 다시 정기적으로 이메일을 체크하고 문자메시지를 확인한다. 새벽마다 책상 앞에 앉아 쓴다. 매번 처음부터 다시, 모두에게 보내는 작별 편지를.

차츰 밤이 길어진다. 하루가 다르게 기온이 내려간다. 이사한 뒤 처음으로 아파트 뒤편 산책로에 들어선 11월 초순, 키 큰 단풍나무들이 타는 듯 붉게 물들어 햇빛에 빛나고 있다. 아름답지만, 그걸 느낄 수 있는 내 안의 전극이 죽었거나 거의 끊어졌다. 어느 아침 반쯤 언 땅에 첫서리가 내리고, 그걸 밟는 내 운동화 바닥에서 부스러지는 소리가 난다. 아이들의 얼굴만한 낙엽들이 세찬 바람에 구르며 날아가고, 갑자기 헐벗은 플라타너스 줄기들은 버즘나무라는 한국어 이름처럼 희끗한 살갗이 함부로 벗겨진 것같이 보인다.

*

인선에게서 문자를 받은 12월 하순의 아침 나는 그 산책로를 걸어나오고 있었다. 영하의 날씨가 한 달 가까이 계속되어, 어떤 활엽수종의 나무들에도 더이상 잎이 남아 있지 않았다.

경하야.

인선이 전송한 내 이름이 문자 창에 단출하게 떠 있었다.

대학을 졸업하던 해에 인선을 처음 만났다. 내가 입사한 잡지사에는 사진기자가 따로 없어 편집기자들이 대부분의 사진을 직접 찍었지만, 중요한 인터뷰나 여행 기사를 진행할 때는 각자가 구한 프리랜서 사진가와 짝을 이뤄 다녔다. 길게는 3박 4일을 함께 여행해야 하니 동성이 편할 거라는 선배들의 충고대로 사진 프로덕션들을 수소문해 동갑내기 인선을 소개받았다. 그후 삼 년 동안 매달 함께 출장을 다녔고 퇴사한 뒤로도 이십 년을 친구로 지냈으니, 그녀의 습관들에 대해 알 만큼 안다. 이렇게 내 이름만 먼저 부르는 것은 안부 인사가 아니라 구체적이고 급한 용건이다.

응. 무슨 일이야?

털장갑을 벗고 답 문자를 보낸 뒤 잠시 기다렸다. 바로 답이 오지 않아 장갑을 다시 끼는데 문자가 왔다.

지금 와줄 수 있어?

인선은 서울에 살지 않는다. 형제자매 없이 마흔둥이로 태어나 자란 그녀는 어머니의 노환을 일찍 겪었다. 팔 년 전 제주 중산간 마을로 돌아가 어머니를 돌보다 사 년 만에 여의었고, 그후로도 그 집에서 혼자 머물렀다. 그전에 인선과 나는 아무 때고 서로의 집에서 만나 함께 음식을 해먹고 이야기를 나누는 사이였지만,

사는 곳이 멀어지고 각자의 굴곡을 통과하는 동안 만남의 간격이 차츰 벌어졌다. 나중에는 얼굴을 보지 못한 채 한두 해가 훌쩍 지나가기도 했다. 그러다 마지막으로 내가 제주를 찾은 것은 지난해 가을이었다. 화장실을 실내로 들이는 정도로만 소박하게 개조한 목구조의 돌집에 나흘을 머무는 동안 그녀는 이태 전 오일장에서 만나 기르기 시작했다는 조그맣고 하얀 앵무새 한 쌍을 나에게 소개해주었고—그중 한 마리는 간단한 말을 할 줄 알았다—, 하루의 대부분을 보내는 마당 건너 목공방으로 나를 데려갔다. 자신도 이해할 수 없는 이유로 제법 팔려나가 생계에 도움을 준다는, 그루터기를 통째로 깎아 이음매 없이 만든 의자들을 보여주었고—얼마나 편한지 앉아봐야 해, 라고 그녀는 진지하게 권했다—, 지난여름 집 위쪽 숲에서 따다가 냉동해뒀다는 산오디와 산딸기를 주전자에 넣고 화목 난로에 올려 시고 심심한 차를 끓여주었다. 맛을 불평하며 내가 차를 마시는 동안 그녀는 청바지에 작업화 차림으로 머리칼을 질끈 묶고서, 다큐 프로그램에 나오는 목공 장인처럼 귀 위에 샤프펜슬을 끼우고는 삼각자로 널빤지를 재고 절단선을 그렸다.

지금 그 집으로 오라는 말은 아닐 것이다. 어디야?라고 묻는 내 문자와 엇갈려 인선의 메시지가 들어왔다. 처음 듣는 병원의 이름이 적혀 있었다. 다음은 좀전과 같은 질문이었다.

지금 와줄 수 있어?

이어서 다시 문자가 왔다.

신분증을 가지고 와야 해.

집에 들러야 하나, 나는 잠시 생각했다. 내 몸보다 두 사이즈 큰 롱 패딩을 입고 나오긴 했지만 깨끗한 옷이었다. 주머니 속 지갑에는 현금을 인출할 수도 있는 신용카드와 주민등록증이 들어 있었다. 택시 승강장이 있는 전철역 쪽으로 반 정거장쯤 걸었을 때 빈 택시가 달려와 나는 손을 흔들었다.

*

가장 먼저 내 눈에 들어온 것은 '국내 제일'이라고 적힌 먼지 낀 현수막의 검은 글씨였다. 택시비를 치르고 병원 입구를 향해 걸으며 생각했다. 국내에서 제일 좋은 봉합수술 전문병원이라는데 왜 나에겐 이름이 낯선 걸까. 회전문을 통과해 마감재가 낡고 어둠침침한 로비에 들어서자, 손가락과 발가락이 한 개씩 잘려나간 손과 발의 사진이 벽에 붙어 있는 게 보였다. 눈을 피하고 싶은 것을 참으며 잠시 들여다봤다. 오히려 실제보다 무섭게 기억할 수도 있으니 제대로 보려는 거였다. 하지만 내 생각이 틀렸다. 그건 제대로 볼수록 고통스러운 사진이었다. 더듬더듬 그 사진의 오른편으로 눈을 돌리자, 같은 손과 발에 손가락과 발가락이 봉합된 사진이 나란히 붙어 있었다. 또렷한 수술 자국을 경계로 피부의 색깔과 질감이 달랐다.

이 병원에 인선이 있다는 건, 인선의 목공방에서 저런 사고가 있었다는 거다.

자신의 삶을 스스로 바꿔나가는 종류의 사람들이 있다. 다른 사람들은 쉽게 생각해내기 어려운 선택들을 척척 저지르고는 최선을 다해 그 결과를 책임지는 이들. 그래서 나중에는 어떤 행로를 밟아간다 해도 더이상 주변에서 놀라게 되지 않는 사람들. 대학에서 사진을 전공한 인선은 이십대 후반부터 다큐멘터리영화에 관심을 가졌고, 생계에 도움이 되지 않는 그 일을 십 년 동안 끈기 있게 했다. 물론 벌이가 되는 촬영 일도 닥치는 대로 했지만, 수입이 생기는 대로 자신의 작업에 쏟아부어야 했기 때문에 늘 가난했다. 그녀는 조금 먹고 적게 쓰고 많이 일했다. 어디든 간소한 도시락을 준비해 다녔고, 화장은 전혀 하지 않았고, 거울을 보며 숱 가위로 직접 머리를 잘랐다. 단벌 솜 파카와 코트는 안에 카디건을 덧대 꿰매어서 따뜻하게 만들었다. 신기한 점은 그런 일들이 마치 일부러 그렇게 하는 듯 자연스럽고 멋스러워 보인다는 것이었다.

그렇게 이 년에 한 편꼴로 인선이 만들어간 단편영화들 중 처음 호평을 받은 것은, 베트남의 밀림 속 마을들을 헤매 다니며 한국군 성폭력 생존자들을 인터뷰한 기록이었다. 거의 자연이 주인공으로 느껴질 만큼 햇빛과 울창한 열대 나무들의 이미지가 압도적이었던 그 영화의 힘으로, 인선은 사립 문화재단으로부터 다음

영화 제작을 위한 지원금을 받았다. 비교적 넉넉한 예산으로 인선이 만든 후속작은 1940년대 만주에서 독립군으로 활동했던 할머니의 치매에 걸린 일상을 다룬 것이었다. 딸의 부축을 받으며 실내에서도 지팡이를 짚고 걷는 노인의 텅 빈 눈과 침묵, 만주 들판의 끝없는 겨울 숲이 고요 속에서 교차되던 그 영화를 나는 좋아했다. 그다음의 작업도 역사를 통과한 여성들의 증언이리라고 모두 예상했지만, 뜻밖에 인선은 그녀 자신을 인터뷰했다. 그림자와 무릎과 손, 그늘 속 희끄무레한 형체로만 노출된 여자가 영상 속에서 천천히 말을 이어갔는데, 그녀의 목소리를 아는 주변 사람들이 아니라면 인터뷰이가 누구인지조차 파악할 수 없었을 것이다. 1948년 제주의 흑백 영상 기록들이 잠깐씩 삽입되었을 뿐 내러티브가 끊어져 있으며 말 사이의 침묵이 긴, 그늘진 회벽과 빛의 얼룩들이 러닝타임 내내 사라졌다 나타나기를 반복한 그 영화는, 앞의 작품들과 비슷한 정공법의 감동을 기대했던 사람들에게 당혹감과 실망을 안겨주었다. 평가와 무관하게 인선은 그 세 단편을 연결해 첫 장편영화를 만들 계획이었는데, 스스로 '삼면화'라고 불렀던 그 작업을 어째서인지 중도에 접은 뒤 국비 지원이 되는 목수학교에 지원해 합격했다.

그전부터 인선이 집 근처 목공방에 드나드는 걸 좋아했던 것을 나는 알고 있었다. 일을 쉬는 기간이면 며칠씩 그곳에 틀어박혀 목재를 켜고 상판을 짜서 자신이 쓸 목가구를 직접 만드는 걸 신기해하기도 했다. 하지만 그녀가 정말로 영화를 그만두고 목수가 되었다고는 믿을 수 없었다. 일 년 과정의 목수학교를 채 마치기 전에 어머니를 돌보기 위해 제주로 아주 내려가겠다고 했을 때도 마찬가지였다. 잠시 고향에 머물다 올라와 다시 영화 일을 할 거라고 생각했다. 내 짐작과 달리 인선은 제주에 내려가자마자 마당의 귤 창고를 개조해 가구를 만들기 시작했고, 어머니의 의식이 흐려져 거의 잠시도 혼자 두기 어렵게 되자 안채 마루에 작은 작업대를 설치하고는 도마나 쟁반, 숟가락과 국자 같은 작은 목기들을 손대패와 끌로 깎고 기름을 먹였다. 먼지 낀 작업실을 정비해 다시 큰 가구를 만들기 시작한 것은 그녀의 어머니가 세상을 떠난 뒤였다.

골격이 가는 편이긴 하지만 백칠십 센티미터를 웃도는 키의 인선이 야무지게 촬영 장비를 나르고 다루는 모습을 이십대부터 봐왔으니, 목수가 된 것이 놀랍긴 했지만 위태로워 보이지는 않았다. 하지만 자주 부상을 입는 것만은 염려스러웠다. 어머니를 여읜 지 얼마 되지 않았을 무렵, 전기 그라인더에 청바지가 말려들어가며 무릎부터 허벅지까지 삼십 센티미터 가까운 흉터가 생긴 사고가 있었고—아무리 빼려고 해도 바지가 안 빠지는 거야, 계속 굉음을 내면서 그라인더가 돌아가는데 정말 괴물 같았어, 하고 그녀는 웃으며 말했다—, 이태 전에는 적재하던 통나무 더미가 무너지는 걸 막으려다가 왼손 집게손가락이 부러지며 인대가 끊어져 반년 넘게 재활치료를 받았다.

이번엔 그 정도가 아니고 뭔가가 잘려나간 거다.

안내 데스크에서 인선의 병실 호수를 물어야 했지만, 혼이 나간 듯한 젊은 부부가 손에 붕대를 감은 네다섯 살 난 아이를 안고서 울먹이며 안내를 받고 있었다. 얼른 그쪽으로 가지 못한 채 나는 로비 가운데 엉거주춤 서서 회전문 바깥을 돌아봤다. 아직 정오도 되지 않았는데 마치 저물녘처럼 어두웠다. 금방이라도 눈발을 뱉어낼 것 같은 하늘 아래, 병원 맞은편의 콘크리트 건물들이 차고 습한 공기 속에서 단단한 몸을 웅크리고 있었다.

현금을 찾아야 한다고 나는 생각했다. 로비 끝에 있는 현금인출기를 향해 걸으며 내 신분증의 쓸모가 무엇일까를 생각했다. 시간을 다투는 수술이라 보호자 동의 없이 이미 끝마쳤고, 수술비와 입원비를 보증할 사람이 이제 필요하게 된 걸까. 인선에게는 부모도 형제도, 배우자도 없으니까.

*

인선아.

내가 불렀을 때 그녀는 육 인실의 가장 안쪽 침대에 누워, 내가 방금 들어선 유리문 뒤편을 초조하게 응시하고 있었다. 지금 그녀가 기다리는 사람은 내가 아닌 것이다. 간호사나 의사 같은 누군가의 도움이 급히 필요한 건지도 모른다. 하지만 문득 정신이 든 듯 인선은 나를 알아보았다. 그러잖아도 큰 눈이 더 크게 열리며 빛나고, 이내 초승달처럼 가늘어지며 잔주름이 눈가에 잡혔다.

왔구나.

입 모양으로 그녀가 말했다.

어떻게 된 거야?

인선의 머리맡으로 걸어가 나는 물었다. 그녀의 헐렁한 환자복 위로 깡마른 쇄골이 두드러져 보였다. 부기 때문인지 얼굴만은 오히려 지난해 만났을 때보다 덜 야위어 보였다.

잘렸어, 전기톱에.

마치 손가락이 아니라 목을 다친 사람처럼 성대를 울리지 않으며 인선이 속삭였다.

언제?

그저께 아침에.

천천히 내 쪽으로 손을 내밀며 그녀가 물었다.

볼래?

짐작과 달리 그녀의 손은 붕대에 완전히 감싸여 있지 않았다. 잘렸다가 봉합된 검지와 중지의 첫 마디들이 붕대 위로 노출돼 있었다. 흘린 지 얼마 되지 않은 듯 아직 선홍색을 띤 피와 검게 산화된 피가 뒤섞여 수술 자국들을 덮고 있었다.

나도 모르게 움찔 눈시울이 떨렸던 모양이다.

이런 건 처음 봤지?

어떻게 대답해야 할지 모르는 채 나는 그녀를 건너다봤다.

나도 처음 봤어.

어렴풋이 미소 짓는 그녀의 얼굴이 창백했다. 피를 많이 흘려서일까. 목을 쓰지 않고 귓속말하듯 속삭이는 건, 말하는 진동만으로도 통증을 느껴서인 것 같았다.

처음엔 그냥 깊이 벤 줄만 알았어.

잘 듣기 위해 그녀를 향해 허리를 굽히자 엷은 피비린내가 맡아졌다.

그런데 조금 지나니까 믿을 수 없게 아픈 거야. 찢어진 목장갑을 어렵게 벗었더니 손가락 마디 두 개가 안에 있었어.

그녀가 속삭이는 말을 정확히 들으려면 달싹이는 입 모양을 살펴야 했다. 핏기가 빠져나간 입술이 보랏빛에 가까웠다.

피가 솟구친 건 그 순간이야. 지혈을 해야 한다고 퍼뜩 생각했는데, 그다음은 기억이 안 나.

자책하는 표정이 인선의 얼굴에 어렸다.

전기 장비를 쓸 땐 아무리 손이 시려도 목장갑을 끼면 안 되는데. 전적으로 내 실수야.

병실 유리문이 열리는 소리에 인선이 고개를 돌렸다. 인선이 좀 전부터 기다리던 사람이 왔다는 걸, 문득 안도하는 그녀의 표정으로 미뤄 알 수 있었다. 짧은 머리에 밤색 앞치마를 두른 육십대 초반의 여자가 우리를 향해 걸어왔다.

제 친구예요.

여전히 성대를 울리지 않으며 인선이 여자에게 나를 소개했다.

간병해주시는 분이야. 이교대로 돌봐주셔, 낮시간에.

서글서글한 인상의 간병인이 웃으며 나에게 인사했다. 간병인은 알코올 냄새가 훅 끼쳐오는 펌프식 손 소독제로 두 손을 꼼꼼히 소독하고는, 침대 옆 협탁에 놓여 있던 알루미늄 상자를 가져와 자신의 무릎에 놓았다.

거의 기적 같은 건, 가깝게 지내던 아랫동네 할머니가 마침 제주병원에 갈 일이 있어서 아들이 모시러 온 거야.

멈췄던 설명을 인선이 이어가는 동안 딸깍, 소리와 함께 간병인의 알루미늄 상자가 열렸다. 크기가 다른 바늘 두 쌍과 소독용 알코올, 멸균 솜이 담긴 플라스틱 통과 핀셋이 가지런히 담겨 있었다.

트럭으로 대형 택배 일을 하는 분인데, 할머니가 잠깐 나한테 귤 한 상자를 주고 가자고 해서 같이 우리집에 들른 거야. 공방에 불이 켜져 있는데 대답이 없는 게 이상해서 들어와 보니 내가 기절해 있었대. 피가 너무 나니까 일단 지혈을 하고, 나를 트럭 짐칸에 싣고 제주병원까지 달렸대. 내 손가락 마디 두 개는 목장갑째로 할머니가 들고. 섬엔 봉합수술을 하는 의사가 없어서 가장 빨리 서울 가는 비행기를……

인선의 속삭임이 끊어졌다. 간병인이 바늘 하나를 소독한 뒤 인선의 집게손가락에 가져가, 아직 피가 굳지 않은 봉합된 자리를 서슴없이 찔렀기 때문이다. 인선의 손과 입술이 동시에 떨렸다. 간병인이 두번째 바늘을 알코올에 적신 솜으로 소독하는 것을, 좀 전처럼 인선의 중지를 찔러 상처를 내는 것을 나는 보았다. 간병인이 두 개의 바늘을 다시 소독한 뒤 상자에 넣었을 때에야 인선은 입술을 떼었다.

수술은 잘됐대.

여전히 속삭이고 있었지만, 통증을 참기 위해 힘을 줘서인지 이따금씩 가느다란 유성음이 단어 사이로 새어들었다.

이제부터 중요한 건 피가 멈추지 않게 하는 거야.

그녀가 온 힘을 다해 속삭여 말하고 있었기 때문에, 병실 입구 쪽에 걸린 텔레비전에서 흘러나오는 뉴스 앵커의 목소리가 참을 수 없이 거슬렸다.

봉합 부위에 딱지가 앉으면 안 된대. 계속 피가 흐르고 내가 통증을 느껴야 한대. 안 그러면 잘린 신경 위쪽이 죽어버린다고 했어.

멍하게 나는 되물었다.

……신경이 죽으면 어떻게 되는데?

불쑥 인선의 얼굴이 아이처럼 밝아져 하마터면 함께 웃을 뻔했다.

뭐, 썩는 거지. 수술한 위쪽 마디가.

그야 당연한 거 아니야? 하고 되묻는 것 같은 그녀의 동그란 눈을 나는 여전히 멍하게 마주보았다.

그렇게 안 되도록 삼 분에 한 번씩 이걸 하는 거야. 이십사 시간 동안 간병인이 곁에서.

삼 분에 한 번?

상대의 말을 따라 할 줄밖에 모르게 된 사람처럼 나는 되물었다.

그럼 잠은 어떻게 해?

난 그냥 누워 있고, 밤에 오시는 분은 깜박깜박 졸다가 바늘로 찔러주셔.

얼마나 오래 이렇게 해야 해?

앞으로 삼 주 정도.

새로 선혈이 흐르며 더 성이 나 부풀어오른, 그전에도 부어 있었던 그녀의 손가락들을 나는 뚫어지게 들여다봤다. 더 지켜보고 싶지 않아 고개를 든 순간 인선과 눈이 마주쳤다.

끔찍하지?

아니, 라고 나는 대답했다.

내가 봐도 끔찍한데.

아니야 인선아.

나는 두번째로 거짓말을 했다.

사실 난 포기하고 싶어, 경하야.

그녀는 거짓말을 하고 있지 않았다.

의료진은 내가 당연히 포기하지 않을 거라고 생각해. 특히 오른손 집게손가락은 누구에게나 중요하니까.

검게 그늘진 눈두덩 아래로 인선의 눈이 빛났다.

하지만 처음부터 깨끗이 포기했다면, 제주병원에서 절단 부위를 꿰매기만 하면 간단히 끝나는 거였는데.

나는 고개를 흔들었다.

너는 카메라를 다루는 사람이잖아. 당장 셔터를 누르려고 해도 그 손가락이 필요할 텐데.

네 말이 맞아. 그리고 설령 지금 포기한다 해도, 없어진 손가락의 통증을 평생 느끼는 경우가 많아서 의사는 권하지 않는다고 했어.

인선이 정말로 진지하게 포기하려고 했다는 것을 그때 나는 알았다. 삼 분에 한 번씩 저 자리를 찔릴 때마다 그 생각을 했을 것이다. 그래서 의료진에게 물은 것이다. 지금 깨끗하게 포기하면 안 되겠느냐고. 그 질문에 답하기 위해 의사가 환지통에 대해 말했을 것이다. 지금은 물론 손가락을 지키는 편의 통증이 더 강하지만, 손가락을 포기할 경우 통증은 손쓸 수 없이 평생 계속될 거라고.

삼 주라니, 너무 길다.

그런 말이 위로가 되는 것인지 모르는 채 나는 중얼거렸다.

간병비도 많이 나올 텐데.

그렇지, 보험이 안 되니까. 그래서 가족이 있는 사람들은 간병인을 안 쓴대. 가까운 사이에 계속 이렇게 해야 하는 게 물론 힘들지만, 비용을 아끼려면 어쩔 수 없어서.

내가 인선의 가족이 아니어서 다행이라고 그 순간 생각해버렸다. 내 손으로 삼 분에 한 번씩 저 바늘들을 그녀의 손가락에 찌르지 않아도 된다는 사실이. 그녀가 어떻게 간병비를 치를 것인지 의문이 떠오른 건 그다음이었다. 내가 알기로 인선은 어머니를 돌보던 사 년 동안 서울에서 가지고 내려간 전세 보증금을 헐어 썼다. 직접 만든 목가구와 작은 목기들을 팔아 일인 가게를 꾸려오긴 했지만, 이런 사고에 대비한 목돈을 비축해두고 있었을 것 같지 않았다. *이제 혼자 몸인데 걱정할 게 뭐 있어.* 언젠가 내가 경제적 상황에 대해 물었을 때 인선은 대답했다. *마이너스 통장이 있긴 한데 마이너스일 때는 아주 가끔뿐이야. 대체로 플러스였다가, 가끔은 꽤 많이 플러스였다가…… 그럭저럭 탈없이 굴러가.*

*

지금 저게, 눈이니?

인선의 말에 흠칫 놀라 나는 돌아보았다.

병실에서 도로 쪽으로 난 커다란 창 밖으로 성근 눈발이 흩어지고 있었다. 흰 실밥 같은 눈송이들이 긋고 지나가는 허공의 길들을 얼마간 지켜보다 주변을 둘러보자, 통증과 인내에 익숙해진 듯 공허한 얼굴의 환자들과 보호자들 모두 침묵하며 창밖을 바라보고 있었다.

입술을 다문 채 창밖을 바라보고 있는 인선의 옆얼굴을 나는 보았다. 특별한 미인이 아니지만 이상하게 아름답다고 느껴지는 사람들이 있는데, 그녀가 그랬다. 총기 있는 눈 때문이기도 하겠지만, 그보다는 성격 때문일 거라고 나는 생각해왔다. 어떤 말도 허투루 뱉지 않는, 잠시라도 무기력과 혼란에 빠져 삶을 낭비하지 않을 것 같은 태도 때문일 거라고. 인선과 잠시 이야기를 나누는 것만으로 혼돈과 희미한 것, 불분명한 것들의 영역이 줄어드는 것처럼 느껴질 때가 있었다. 우리의 모든 행위들은 목적을 가진다고, 애써 노력하는 모든 일들이 낱낱이 실패한다 해도 의미만은 남을 거라고 믿게 하는 침착한 힘이 그녀의 말씨와 몸짓에 배어 있었다. 피투성이 손에 헐렁한 환자복을 걸치고 팔뚝에 주렁주렁 주삿줄을 매달고 있는 지금도 마찬가지였다. 그녀는 약하거나 무너진 사람처럼 보이지 않았다.

많이 내릴 것 같지?

인선의 물음에 나는 고개를 끄덕였다. 정말 많이 내릴 것 같았다. 좀전보다 더 사위가 어두웠다.

이상하다, 이렇게 너랑 같이 눈을 보니까.

인선이 창으로부터 눈을 돌려 나에게 말했을 때, 나 역시 이상하다는 생각을 하고 있었다. 눈은 거의 언제나 비현실적으로 느껴진다. 그 속력 때문일까, 아름다움 때문일까? 영원처럼 느린 속력으로 눈송이들이 허공에서 떨어질 때, 중요한 일과 중요하지 않은 일이 갑자기 뚜렷하게 구별된다. 어떤 사실들은 무섭도록 분명해진다. 이를테면 고통. 유서를 완성하겠다는 모순된 의지로 지난 몇 달을 버텨왔다는 것. 자신의 삶이라는 지옥에서 잠시 빠져나와 친구를 병문안하고 있는 이 순간이 기이하게 낯설고 선명하게 느껴진다는 것.

하지만 인선이 이상하다고 한 말은 다른 의미라는 걸 나는 알고 있었다.

*

사 년 전 늦가을, 인선은 어머니의 장례에 서울의 지인들을 거의 부르지 않았지만 나에게는 연락을 해왔다. 밤이 깊어 마을 사람들이 돌아가고, 나도 예전에 인사를 나눈 적 있는 몇몇 다큐 하는 사람들도 비행기 시간에 맞춰 떠나고 나자 제주 시내 병원의 빈소는 고요해졌다. 피곤하지 않니, 인선이 물었을 때 나는 고개를 흔들었다. 상주를 위해 일상적인 대화를 이어가야 한다고 생각했지만, 사소한 일상을 공유하지 않은 지 오래인 친구에게 무슨 말을 건네야 할지 막연했다. 어머니의 상태가 나빠지면서부터 인선은 내가 찾아오는 것을 원하지 않았다. 전화를 걸면 제때 받지 않았고 바로 되걸어주지도 않았다. 문자로 안부를 물으면 며칠 뒤에야 답이 왔다. 속을 짐작할 수 없는 짧고 담담한 문장들을 읽을 때마다 거리감이 느껴졌다. *그럼, 나야 똑같이 지내지. 너도 잘 지내.* 그런 격절의 시간이 우리 사이를 지나갔는데, 이제 와서 앞으로의 계획에 대해 물어도 되는 걸까.

그 밤 인선이 나에게 그간의 안부를 물었을 때 검은 나무들의 꿈 이야기를 꺼낸 건 그렇게 복잡한 마음 때문이었던 것 같다. 여름에 꾸었던 꿈이 겨울이 가까워오도록 자꾸 생각난다고, 입을 대지 않은 절편과 껍질을 깐 귤이 놓인 접시를 사이에 두고 나는 고백했다. 습관성 위경련 때문에 단골 병원에 가기 위해 영원히 끝나지 않을 것 같은 팔차선 도로의 횡단보도를 어기적어기적 건널 때, 오지 않는 약속 상대를 기다리며 소란한 카페 구석에 웅크려 앉아 문 쪽을 바라볼 때, 또다른 악몽에서 깨어나 고개를 떨며 천장의 어둠을 올려다볼 때, 그 모르는 벌판에 눈이 내리고 검은 나무들 사이로 바다가 밀려들어온다고.

그러니 같이 무언가를 해보면 어떻겠는지 나는 인선에게 물었다. 함께 통나무들을 심어 먹을 입히고, 눈이 내리길 기다려 그걸 영상으로 담아보면 어떻겠느냐고.

그럼, 가을이 가기 전에 시작해야겠네.

내 말에 끝까지 귀기울인 뒤 인선은 대답했다. 검은 치마저고리 차림에 흰 고무 밴드로 단발머리를 질끈 묶은 얼굴이 진지하고 침착했다. 아흔아홉 그루의 통나무를 들에 심으려면 땅이 얼기 전에 해야 한다고 그녀는 말했다. 늦어도 11월 중순에 사람들을 모아 함께 나무를 심자고, 아버지에게서 물려받았지만 아무도 쓰지 않는 버려진 땅이 있으니 그곳을 쓰면 되겠다고도 했다.

제주도도 땅이 얼어?

내가 묻자 그녀는 말했다.

그럼, 중산간은 겨우내 얼지.

촬영을 할 수 있을 만큼 눈이 많이 내릴까? 함박눈이면 좋겠는데.

내가 재차 물은 것은, 그 일을 제주에서 할 거라고는 미처 생각해보지 않았기 때문이었다. 온대와 아열대 수종의 나무들이 섞여 자라는 섬에 눈이 온들 얼마나 올까. 오히려 서울보다 추운 곳, 이를테면 강원도의 국경 인근 어딘가가 적당할 거라고 생각해왔었다.

아, 눈 걱정은 안 해도 돼.

미소 짓는 그녀의 눈가에 잔주름이 잡혔다. 그날 나에게 처음 보인 웃음이기도 했다. 비도 안개도 눈도 많은 습한 마을이라고, 봄이면 안개가 너무 끼어서 햇빛을 못 본 마을 여자들이 만성 우울증을 호소할 정도라고 인선은 말했다. 폭우가 잦은 여름은 물론 건기인 봄가을에도 일주일에 두세 번씩 비가 내리며, 3월 하순까지 함박눈이 내리는 일도 흔하다고 했다.

미리 목작업 하는 게 가장 큰 일이지. 사람들 모아서 땅에 심는 것도 잘 계획해야 하고. 하지만 눈 촬영은 걱정할 것 없어. 틈날 때마다 내가 한없이 찍어둘 수 있어.

그렇게 당장 그해 겨울 함께 하려던 작업이, 서울로 돌아오자마자 해결해야 했던 내 개인적인 문제로 미뤄졌다. 그후로도 상황은 대체로 비슷했다. 어떤 해에는 그녀가, 어떤 해에는 내가 여건이 되지 않거나 건강이 좋지 않았다. 그러다 첫눈이 내리면 올해도 그 일을 못했구나, 생각이 들었다. 누군가가 먼저 전화를 걸어, 여기 눈이 오는데 거긴 어떠니, 라고 물으면 여긴 내일 온대, 라고 다른 누군가가 대답했다. 내년에는 할 수 있을까, 라고 둘 중 누군가가 물으면, 그래, 내년엔 꼭 하자, 라고 다른 누군가가 대답했다. 그러다 누가 먼저랄 것 없이 웃었고, 그렇게 끝없이 연기되고 있는 바로 그 상태가 그 일의 성격이 되어가고 있는 거라고 생각한 적도 있었다.

*

딸깍, 소리를 내며 알루미늄 상자가 다시 열렸다. 간병인이 소독제를 넉넉하게 손바닥에 덜어 손가락 사이까지 소독하는 동작을 나는 긴장한 채 지켜보았다. 정작 인선은 마치 아무 소리도 듣지 못한 것처럼, 내가 무엇을 지켜보고 있는지조차 알지 못한다는 듯 물끄러미 나를 올려다보았다.

답답해서 큰일이야, 침대에서 나가면 안 된다는데. 이렇게 계속.

부드럽게 불평하는 듯한 미소가 인선의 입가에 어렸다.

걷는 것도 안 되고, 조금이라도 팔에 힘을 주는 것도 안 된대.

두 개의 바늘을 간병인이 차례로 소독했다. 바늘을 만지는 동안 옮겨왔을지 모를 균 때문인지 두 손을 한 차례씩 더 소독했다.

묶어놓은 신경줄이 자칫하면 다시 풀어져버린대. 팔꿈치 위로 말려 올라가서, 신경을 찾으려면 다시 전신마취를 하고 어깨까지 절개해야 돼. 그러다 마취가 안 깨 큰 병원으로 실려간 사람이 올 초에 있었대. 몇 년 전엔 패혈증이 진행돼 사망한 사례도 있었어.

인선이 말을 멈췄다. 간병인이 인선의 상처에 서슴없이 바늘을 찔러넣는 동작을 나는 똑똑히 다시 보았고, 인선과 함께 숨을 멈춘 채 후회했다. 좀전에 병원 로비에서 이미 깨닫지 않았던가, 제대로 들여다볼수록 더 고통스럽다는 걸?

간병인이 두번째 바늘을 인선의 중지에 찌르는 동안 나는 인선의 베개 옆에 놓인 휴대폰으로 시선을 돌렸다. 붕대를 처맨 오른손을 움직이지 않고 나에게 문자를 보내기 위해 인선이 조심스럽게 취했을 허리와 어깨와 왼손의 동작을 짐작했다. 지금 와줄 수 있어? 힘을 다해 자음과 모음을 잇고 띄어쓰기를 해서 그렇게 두 번 물었을 거다. 그런데 왜 하필 나에게였을까?

그녀에게 친구가 많지 않으며 결이 맞는 소수의 사람과만 연락하며 지낸다는 것을 나는 알고 있었다. 하지만 이런 순간에 가장 먼저 떠올릴 사람이 나일 거라고까지는 생각하지 못했다. 가능한 수신인들을 떠올리며 부탁의 말을 적어갔던 지난여름 나는 인선의 얼굴을 떠올리지 않았다. 그녀가 멀리 있다는 사실이 무엇보다 큰 영향을 미쳤을 것이다. 사 년 동안 홀로 어머니를 간병하고 임종을 지킨 그녀에게 다시 짐을 지우고 싶지도 않았다. 그 기간 동안 먼저 거리를 둔 쪽은 인선이었고 내 개인적인 상황도 좋지 않았지만, 내가 더 노력할 여지가 정말 없었는지 확신할 수 없었다. 비행기로 한 시간도 채 걸리지 않는 섬인데, 그렇게 멀어지도록 두는 것 이상의 무엇을 상상할 수 없었나.

그런 복잡한 생각 때문에 '괜찮겠니'라고 물어버린 것 같다. 괜찮을 거야, 라고 말하려던 거였는데 나도 모르게 그렇게 말이 나왔다. 방금 새로 생긴 통증을 참는 인선의 입술이 떨리는 것을 나는 보았다. 통증을 견디느라고 잠시 의식을 놓은 것인지, 그녀를 알았던 긴 시간 동안 한 번도 본 적 없는 텅 빈 시선이 내 쪽으로 공허하게 던져져 있었다. 저렇게 끔찍한 통증을 계속 일으켜야만 신경의 실이 이어지는 건가. 나는 납득할 수 없었다. 21세기 의술에, 저런 것 말고 방법이 없나. 시간을 다퉈 공항에서 가까운 곳을 찾다 너무 작은 병원에 온 것 아닌가.

인선의 눈에 빛이 되돌아왔다. 좀전의 어리석은 내 질문—괜찮겠니—을 못 들은 줄 알았는데, 마치 대답할 의미가 있는 말이었다는 듯 그녀가 속삭여 말했다.

계속해봐야지, 일단은.

그건 인선의 오래된 말버릇이었다. 함께 취재 여행을 다니던 시절, 문제가 있는 인터뷰이를 만나거나 섭외된 장소에 말썽이 생겨 내가 허둥거리면 동갑내기 인선은 그렇게 선선히 말하곤 했다. *일단 나는 계속하고 있을게.* 내가 문제를 해결하든, 절반 정도만 해결하든, 마침내 실패하고 돌아오든 그녀는 장비들을 세팅하고, 현장에 있는 거의 모든 사람들을 짧은 시간 동안 자신의 편으로 만들어놓고서 나를 기다리고 있었다. 인터뷰 영상을 녹화해야 할 경우에는 캠코더를 고정시켜놓고, 스틸 사진 촬영을 위해 카메라를 들고서 웃으며 말했다.

시작하고 싶을 때 시작해.

그 웃음에 문득 전염되어 내 마음이 밝아지면, 내 밝아진 얼굴에 안심한 인선의 눈이 더 환해졌다.

뭐, 일단 나는 계속하고 있을 테니까.

그 말이 주문처럼 나를 안심시키곤 했다. 아무리 까다로운 인터뷰 상대를 만나도, 예기치 못한 돌발 변수가 생겨도, 뷰파인더를 들여다보고 있는 그녀의 침착한 얼굴을 보면 더이상 당황할 필요도, 허둥거릴 이유도 없다고 느껴졌다.

*

마지막 통화에서도 인선이 비슷한 말을 했다는 걸 깨달은 것은 그 순간이었다.

꿈과 생시 사이에서 검은 나무들의 벌판을 다시 보았던 지난 8월 새벽, 마침내 눈을 뜨고 나는 그곳으로부터 빠져나왔다. 땀에 젖은 몸을 일으켜 베란다로 걸어갔다. 창문들을 열자 잠시 바람이 서늘하게 느껴졌지만, 습기가 밀려들어오며 금세 더 더워졌다.

매미들이 악을 쓰고 있었다. 그러고 보니 밤새 그렇게 울었던 것 같았다. 얼마 지나지 않아 옆집과 아랫집의 에어컨 실외기들이 다시 소리치며 돌아가기 시작했다. 일단 창문들을 닫고, 소금 옷을 입은 듯 끈끈한 몸을 찬물로 씻어냈다. 달아날 곳도, 숨을 곳도 없는 더위 속에서 거실 바닥에 누워, 휴대폰을 머리맡에 놓은 채 일곱시가 되기를 기다렸다. 그때가 오전 중에 인선과 통화할 수 있는 거의 유일한 시각이었다. 그녀는 매일 아침 일찍부터 오후 여섯시까지 목공방에서 일하고, 작업중에는 휴대폰을 무음으로 해놓으니까.

응, 경하야.

언제나처럼 선선히 인선은 나를 반겼다.

잘 지냈어?

담담하게 서로의 안부를 주고받은 끝에 나는 말했다. 검은 나무들을 심는 프로젝트를 하지 않는 게 좋겠다고. 처음부터 내가 꿈의 의미를 잘못 이해했다고. 정말 미안하다고. 나중에 만나 자세히 이야기하자고.

……그렇구나.

내 말이 끝나자 인선은 대답했다.

그런데 어떡하지, 난 벌써 시작했는데. 지난번에 너 다녀가고 나서 바로.

지난해 가을 제주에서 그 일에 대해 먼저 이야기를 꺼낸 사람은 인선이었다. 이제 난 정말 할 수 있을 것 같아, 라고 인선이 말했고, 그럼 그렇게 하자고 나는 대답했다. 그동안 영상 작업은 조금도 안 한 거야, 여기 내려와서는? 하고 조심스럽게 묻기도 했다. 이제 다시 시작해보려는 거야? 라고 내가 덧붙여 물었을 때, 그녀는 잠시 생각에 잠겨 있다가 대답했었다. *어쩌면 그럴 수 있을지도.*

겨울부터 나무들을 모았어, 경하야.

마치 이 전화를 기다리고 있었던 것처럼, 그간의 일을 들려주기 위해 준비해온 사람처럼 인선은 차근차근 말을 이었다.

아흔아홉 그루보다 더 넉넉하게 모아서 봄부터 건조시켰어. 지금은 여름이라 습기를 먹었는데, 10월쯤 되면 다루기 꼭 좋게 말라 있을 거야. 11월까지 부지런히 작업해서 땅이 얼기 전에 심으면, 12월부터 3월까지 눈이 올 때마다 촬영할 수 있어.

그렇게 준비하고 있을지도 모른다고 생각해 서둘러 전화한 거였지만 나는 놀랐다. 지나간 사 년 동안 그래왔듯, 어떤 이유로든 정말 실현될 수는 없는 일일 거라고 은연중에 생각했던 것이다.

그럼, 그 나무들로 다른 걸 만들 수 있지 않을까?

인선이 웃었다.

아니, 이걸로 다른 작업은 못해.

미묘하게 다른 웃음으로 감정을 드러내는 인선의 습관을 나는 알고 있었다. 물론 우습거나 즐거워서, 다정하고 장난스러운 마음으로도 웃지만, 무엇인가를 거절하기 직전에도, 상대와 다른 의견을 말해야 하지만 다투고 싶지 않은 순간에도 그녀는 웃는다.

미안해, 인선아.

다시 나는 사과했다.

하지 않는 게 좋겠어. 진심이야.

깨끗이 웃음이 가신 목소리로 인선이 물었다.

생각이 바뀔 수 있지 않을까?

아니, 그렇게는 되지 않을 거야.

더 분명하게 대답해야 한다고 나는 생각했다.

내 잘못이야. 내가 모든 걸 잘못 생각했어.

휴대폰 저편에서 그녀가 침묵하는 몇 초가 실제보다 길게 느껴졌다.

침묵을 깨며 인선이 말했다.

어쨌든 난 계속하고 있을 거야.

그럴 일이 아니야 인선아, 라고 나는 만류했지만, 그녀는 마치 사과의 말에 너그럽게 답하는 사람처럼 괜찮아, 라고 말했다. 거꾸로 나를 달래는 듯 인내심이 배어 있는 목소리였다. 난 괜찮아, 경하야. 걱정할 거 없어.

*

딸깍, 진저리나는 소리를 내며 간병인의 알루미늄 상자가 다시 열렸다. 그사이 삼 분이 또 흐른 것이다. 나와 눈이 마주친 간병인이 변명하듯 말했다.

친구분 정신력이 정말 강하세요. 정말 잘 참고 계신 거예요.

동의도 부정도 하지 않은 채 인선이 간병인을 향해 천천히 오른손을 내밀었다. 피에 젖은 붕대가 너무 꾸덕꾸덕하다고 나는 생각했다. 아침에 간호사가 와서 드레싱을 하고 붕대를 새로 감았을까. 제대로 갈아주고 있는 건가, 저렇게 계속 피를 흘리는데.

의사 선생님이랑 간호사 선생님들도 다들 그러세요. 진짜로 훌륭하게 참고 계신다고.

두 개의 환부에 차례로 바늘이 꽂혔다 빠져나가는 동안 인선은 입을 다문 채 창을 보고 있었다. 물기가 많고 입자가 작은 눈송이들이 가느다란 선들을 수직으로 그으며 낙하하고 있었다.

이상하지, 눈은.

들릴 듯 말 듯 한 소리로 인선이 말했다.

어떻게 하늘에서 저런 게 내려오지.

*

처음부터 내 대답은 필요하지 않았던 듯, 마치 창밖 어딘가에 있는 다른 사람에게 건네는 말처럼 그녀가 이어 속삭였다.

트럭 짐칸에서 의식이 들었는데,

잘린 손가락에서부터 무서운 아픔이 뻗어나오고 있었어.

그런 아픔은 그전까지 상상도 못했고,

지금 말로 할 수도 없어.

시간이 얼마나 지나갔는지,

누가 나를 어디로 싣고 가는지 알 수 없었어.

옆눈으로 끝없이 흘러가는 나무들을 보면서 지금 한라산을 넘어가고 있나, 짐작했을 뿐이야.

택배 박스들, 굵은 고무 끈들, 때묻은 담요들, 바퀴가 녹슨 수레 사이에서 나는 반쯤 죽은 곤충처럼 꿈틀거리고 있었어.

까무러칠 것같이 아팠는데,

정말 차라리 까무러치고 싶었는데, 왜 그때 네 책 생각이 났는지 몰라.

거기 나오는 사람들, 아니, 그때 그곳에 실제로 있었던 사람들 말이야.

아니, 그곳뿐만 아니라 그 비슷한 일이 일어났던 모든 곳에 있

었던 사람들 말이야.

총에 맞고,

몽둥이에 맞고,

칼에 베여 죽은 사람들 말이야.

얼마나 아팠을까?

손가락 두 개가 잘린 게 이만큼 아픈데.

그렇게 죽은 사람들 말이야, 목숨이 끊어질 정도로

몸 어딘가가 뚫리고 잘려나간 사람들 말이야.

*

그때 알았다. 인선이 줄곧 나를 생각해왔다는 것을. 아니, 정확히 말하자면 우리가 약속했던 프로젝트를. 아니, 더 정확히 말하면 사 년 전 내가 꾼 꿈속의 검은 나무들을. 그 꿈의 근원이었던 그 책을.

다음 순간 더 무서운 짐작이 떠올라 나는 숨을 멈췄다. 이미 나무들을 구해놓았다고 인선은 지난여름 말했다. 넉넉하게 백 그루도 넘는 통나무들을 건조시키고 있다고. 가을부터 그것들을 켜고 자르고 깎아, 등을 웅크린 사람들처럼 기울고 휘어진 등신대의 형상들을 만들 거라고.

*

그 일을 하고 있었던 거야?

도망칠 데가 없다고 느끼며 더듬더듬 나는 물었다.

내가 그만하자고 했던 일 말이야. 그걸 하다가 이렇게 된 거야?

하지 말자고 분명히 내가 말했잖아. 왜 혼자 고집을 부렸어. 그러나 그렇게 말할 수 없었다. 처음부터 그 제안을 너한테 하는 게 아니었다. 스스로 뜻도 모르는 주제에 꿈 이야기를 들려주는 게 아니었다. 그런 일에 너를 끌어들여선 안 되는 거였다.

그건 중요하지 않아, 경하야.

완곡한 긍정이 분명해 보이는 그 대답에 이어, 내가 내놓을 어떤 사과와 자책과 후회의 말도 거부하겠다는 듯 빠르게 인선이 다음 말을 이었다. 더이상 귓속말처럼 속삭이지 않는, 갑자기 모든 통증을 이겨낸 듯 또렷해진 목소리였다.

오늘 너한테 와달라고 한 건 그런 것 때문이 아니야. 부탁할 게 있어서야.

돌연한 생기를 머금고 번쩍이는 그녀의 두 눈을 피하지 못한 채 나는 다음 말을 기다리고 있었다.

3
폭설

처음에는 새들이라고 생각했다. 흰 깃털을 가진 수만 마리 새들이 수평선에 바싹 붙어 날고 있다고.

하지만 새가 아니다. 먼바다 위의 눈구름을 강풍이 잠시 흩어놓은 것이다. 그 사이로 떨어진 햇빛에 눈송이들이 빛나는 것이다. 해수면이 반사한 빛이 거기 곱절로 더해져, 흰 새들의 길고 찬란한 띠가 바다 위로 쓸려 다니는 것 같은 착시를 불러일으키는 거다.

이런 눈보라는 처음이다. 서울 거리에 무릎까지 눈이 쌓이는 광경을 십 년 전 겨울에 한차례 보았지만 이만큼의 밀도로 허공을 채우지는 않았다. 내륙 도시이니 이런 바람이 불지도 않았다. 지금 내가 탄 버스는 눈보라 치는 해안도로를 달리고 있고, 나는 맨

앞좌석에 안전벨트를 매고 앉아 강풍에 나부끼는 야자수들을 내다보고 있다. 젖은 도로면의 온도가 아슬아슬하게 빙점 언저리여서겠지만, 이렇게 많은 눈이 조금도 쌓이지 않고 흔적없이 사라진다는 사실이 비현실적으로 느껴진다. 이해할 수 없는 대기의 작용으로 바람이 갑자기 정지하는 때도 있는데, 그럴 때면 커다란 눈송이들이 얼마나 느리게 하강하는지, 달리는 버스에서가 아니라면 정육각형의 결정들을 육안으로 관찰할 수도 있을 것 같다. 하지만 바람이 다시 몰아치기 시작하면 마치 거대한 팝콘 기계가 허공에서 맹렬히 돌아가는 듯 눈송이들이 솟구쳐오른다. 눈이란 원래 하늘에서 내리는 게 아니라 지상에서부터 끝없이 생겨나 허공으로 빨려 올라가는 거였던 것처럼.

점점 나는 초조해진다. 이 버스를 탄 것이 잘못된 선택이었다는 생각 때문이다.

두 시간 전 내가 몸을 실었던 비행기는 몹시 불안정하게 흔들리며 제주공항에 착륙했다. 뉴스로만 들었던 윈드 시어 현상 같았다. 활주로를 미끄러져 달리는 비행기의 속도가 차츰 줄어드는 동안, 통로 건너 옆 좌석에 앉아 있던 젊은 여자가 스마트폰을 만지며 중얼거렸다. 세상에, 우리 다음 비행기부터 전부 결항이야. 연인으로 보이는 젊은 남자가 대꾸했다. 우리가 운이 좋았네. 여자가 웃음을 터뜨렸다. 이게 운좋은 거냐. 날씨가 야, 이래가지고.

공항을 나서자 눈을 제대로 뜰 수 없을 만큼 눈보라가 세찼다.

택시 승강장에서 넉 대의 택시를 뒷사람에게 넘겨준 뒤에야 나는 횡단보도를 건너 공항 건물 앞으로 되돌아갔고, 형광색 조끼 차림으로 리무진 버스 화물칸에 슈트 케이스들을 싣던 직원에게 다가가 내가 당한 승차 거부의 이유를 아는지 물었다. 내 목적지를 들은 초로의 남자는 버스를 타라고 충고했다. 대설주의보와 강풍경보가 동시에 발효된 이 섬에서, 인선의 집이 있는 중산간 마을까지 들어가려 하는 택시는 없을 거라고 했다. 버스들은 어느 노선이든 타이어에 체인을 감고 운행되겠지만 밤새 눈이 내릴 경우 그마저 중단될 테고, 내일 아침부터 중산간 지역은 고립될 가능성이 높다고도 했다. 무슨 버스를 타야 하나요, 내가 묻자 그는 고개를 흔들었다. 일단 여기서 아무 버스나 타고 버스 터미널로 가세요. 쉴새없이 눈과 코로 몰아치는 눈발 때문에 그는 이마를 찌푸리고 있었다. 일단 거기선 안 가는 데 없이 다 갑니다.

그의 충고를 따랐다. 가장 먼저 나타난 시내버스를 타고 버스 터미널로 향했다. 불안했다. 오후 다섯시만 되어도 어두워질 텐데, 그때 시각이 벌써 두시 삼십분을 넘어가고 있었다. 인선의 집은 마을에서 외떨어져 있다. 정류장에서 최소한 삼십 분은 더 걸어들어가야 한다. 가로등이 없는 걸 불평하며 인선도 손전등을 켜고 다니던 밤길을, 이런 날씨에 나 혼자 찾아들어가는 일이 가능할 것 같지 않았다. 그렇다고 제주 시내에 숙소를 잡고 아침이 밝기를 기다릴 수도 없었다. 중산간으로 들어가는 길이 오늘밤 끊어져버릴 수도 있다지 않는가.

터미널에 도착한 지 얼마 되지 않아 남쪽 해안의 P읍을 경유하는 급행 일주버스가 들어왔다. P읍은 인선의 마을에서 가장 가까운 읍내다. 한라산을 가로질러 인선의 마을 인근을 바로 통과하는 노선도 있지만, 배차 간격이 길어 한 시간 이상 기다려야 해서 나는 그 일주버스에 올라탔다. 우체국이나 농협에 볼일이 있으면 인선은 소형 트럭을 몰고 P읍으로 내려간다고 했었다. 고도가 낮아지는 구간부터 울창한 동백 숲이 양쪽으로 끝없이 펼쳐져 있던 그 길을, 나도 조수석에 앉아 인선과 함께 달려보았다. P읍과 마을을 연결하는 작은 지선버스가 한 시간에 석 대씩 있다고 그녀는 말해줬다. 짐이 없고 날씨가 좋을 때는 트럭을 모는 대신 그 버스를 타고 P읍으로 내려가 바닷가를 걷다 온다고도 했다. 어디를 걸어? 내가 물었을 때 그녀가 눈으로 가리켜 보여준 백사장을 향해 숨막히게 짙푸른 바다가 포말을 이고 밀려들고 있었다.

또렷하게 떠오른 그 정보들 때문에 그 순간 나는 최선의 선택을 하고 있다고 믿었다. 먼저 도착한 일주버스를 타고 P읍에 도착한 뒤 지선버스로 갈아타고 인선의 마을까지 들어가는 것. 그러나 문제는 이 섬의 해안선이 동서로 긴 타원을 이루고 있다는 것이다. 터미널에서 한 시간 더 기다려 한라산을 가로지르는 버스를 타는 편이 결과적으로 더 빨랐을지 모른다. 이렇게 길게 우회하는 동안, P읍에서 인선의 마을로 들어가는 작은 버스의 운행이 눈 때문에 중단될지도 모른다.

커다란 진홍색 꽃송이들을 무더기로 피워낸 아열대의 나무들이 세차게 몸을 흔들고 있다. 이렇게 많은 눈이 꽃들 위로 조금도 쌓이지 않는 건 저 압도하는 바람 때문이다. 여러 개의 긴 팔 같은 가지들을 휘두르는 야자수들의 움직임은 더 격렬해 보인다. 모든 나무들의 반들반들한 잎과 꽃대와 무성한 가지 들이 각기 독자적인 생명체처럼, 마치 스스로 폭설로부터 벗어나려는 듯 펄럭이고 있다.

이 눈보라에 비하면 서울의 눈은 얼마나 고요했던가, 나는 생각한다. 불과 네 시간 전 인선이 입원해 있는 병원을 나와 택시 뒷좌석에 올라타며 보았던 눈은 잿빛 하늘과 아스팔트 사이의 허공을 촘촘히 꿰매는 무수한 흰 실들처럼 보였다. 삼 분에 한 번씩 바늘에 찔려 새로운 피를 흘리는 인선, 성대를 울리지 않고 속삭이듯 말하는 인선, 통증 때문인지 다른 감정 때문인지 알 수 없는 번쩍이는 눈으로 나를 응시하던 인선을 뒤로하고 택시는 김포공항을 향해 달렸다. 젖은 실밥처럼 앞유리에 달라붙는 눈송이들을 두 개의 와이퍼가 끈덕지게 지워냈다.

*

제주 집에 가줘, 라고 인선이 말했기 때문에 나는 이곳까지 왔다.

언제?

내가 묻자 인선은 대답했다.

오늘. 해 떨어지기 전에.

병원에서 김포공항까지 택시로 최단시간에 달려가, 가장 빠른 항공편으로 제주까지 날아간다 해도 가능할까 말까 한 일이었다. 이상한 농담이라고 생각했지만 인선의 눈은 진지했다.

안 그러면 죽어.

누가?

새.

새라니, 라고 되물으려다 말고 나는 지난해 가을 인선의 집에서 만났던 작은 앵무새들을 기억했다. 그중 한 마리가 안녕, 하고 나에게 말을 걸었었다. 그 목소리가 인선의 음성과 비슷해 나는 놀랐다. 앵무새가 사람의 발음뿐 아니라 음색까지 따라 할 수 있다는 걸 그때까지 알지 못했기 때문이다. 더 신기했던 것은 그 새가 마치 인선의 질문을 알아듣는 듯 '기'와 '응' '아니'와 '몰라' 같은 대답들을 교차해 제법 그럴싸하게 대화를 이어간 거였다. 앵무새처럼 따라 한다는 말은 잘못된 비유야, 라고 그 아침 인선은 말했다. 이렇게 서로 이야기를 나눌 수 있는걸. 반신반의하는 나에게 그녀는 웃으며 권했다. 너도 한번 말해봐, 손에 올라오라고. 나는 망설였지만, 인선의 미소에 용기를 얻어 새장 문을 열고 집게손가락을 펼쳤다. 여기 올라올래? 새가 즉시 아니, 라고 대답해서 나는 무안해졌는데, 방금 한 대답을 부정하듯 조그맣고 가칠가칠한 발로, 거의 무게가 없는 몸으로 새가 내 손가락으로 건너오자 이상하게 마음이 흔들렸다.

아미가 몇 달 전에 죽어서, 지금은 아마만 있어.

내 기억이 맞는다면 말을 하던 새가 아미였다. 수명이 십 년은 남았다고 했는데 왜 갑자기 죽은 걸까? 머리와 꼬리의 깃털에 레몬보다 연한 노랑 무늬가 들어가 있던 흰 새였다.

아마가 아직 살아 있는지 봐줘. 살아 있으면 물을 줘.

아마는 아미와 달리 머리부터 꼬리 깃털까지 완전히 희어서 더 수수해 보였고, 말을 못하는 대신 인선의 허밍을 유려하게 흉내 낼 수 있었다. 아미가 내 집게손가락으로 건너온 것과 거의 동시에 아마는 내 오른쪽 어깨로 활짝 날아올라 앉았는데, 아미와 꼭 같이 무게 없는 몸과 가칠가칠한 감촉이 스웨터 올 사이로 느껴졌다. 얼굴을 보려고 내가 돌아보자 녀석은 고개를 외틀어, 생각에 잠긴 듯한 왼쪽 눈으로 수초 동안 나를 마주보았다.

알겠어.

인선의 부탁이 진지했으므로 일단 나는 고개를 끄덕였다.

집에 가서 짐을 챙겨서, 내일 새벽에 첫 비행기를 타고 갈게.

그건 안 돼.

상대의 말을 중간에 끊는 것은 인선이 평소에 하지 않는 일이었다.

그러면 너무 늦어. 사고가 난 게 벌써 그저께야. 그날 밤에 수술받고 어제까지 정신이 없었어. 오늘 정신 차리자마자 너한테 연락한 거야.

제주에 부탁할 사람이 아무도 없어?

없어.

그 말을 나는 믿을 수 없었다.

제주시나 서귀포에도? 널 발견했다는 할머니는?

전화번호를 몰라.

인선의 어조가 이상하게 필사적이라고 나는 생각했다.

네가 가주면 좋겠어, 경하야. 그 집에서 아마를 돌봐줘. 내가 퇴원할 때까지만.

그건 또 무슨 말이야, 라고 되묻고 싶었지만 인선이 빠르게 이어가는 다음 말을 끊을 수 없었다.

다행히 그저께 아침에 물그릇을 가득 채워놨어. 좁쌀이랑 건과일이랑 펠릿도, 저녁 늦게까지 작업할 생각으로 넉넉하게 넣어뒀어. 이틀은 어떻게든 버틸 수 있었을지도 몰라. 하지만 사흘은 불가능해. 오늘 안에 가면 살릴 가능성이 있어. 하지만 내일은 죽어, 반드시.

무슨 말인지 알겠어, 라고 나는 그녀를 달랬지만 정말로 이해한 것은 아니었다.

하지만 너도 없는 집에서, 네가 퇴원할 때까지 있을 수는 없어.

일단 가서 살린 다음 새장째로 들고 올게. 무사한 걸 보면 너도 안심이 될 테니까.

아니야, 인선이 완강하게 말했다.

그렇게 갑자기 환경이 바뀌는 걸 견딜 수 없을 거야, 아마는.

나는 당황했다. 우리가 친구로 지낸 이십 년 동안 인선은 이런 식으로 무리한 부탁을 한 적이 없었다. 신분증이 필요하다고 그녀가 문자로 말했을 때 나는 수술동의서 같은 것을 써줘야 하는 급박한 상황일 거라고 짐작했다. 그래서 집에도 들르지 않고 바로 택시를 탔던 것이다. 끔찍한 통증과 충격 때문에 인선의 어떤 부분이 달라진 걸까? 이 모든 게 내가 제안했던 일 때문이니 책임을 져달라는 걸까? 아니, 정말로 부탁할 사람이 나뿐인 걸까? 한 달 가까이 제주에 머물며 새를 돌볼 수 있는 사람, 더이상 일도 가족도, 계속할 일상의 의미도 존재하지 않게 된 사람이? 그 가운데 어떤 것이 이유라 해도 나에게는 거절할 방법이 없었다.

*

강풍이 먼바다의 먹구름을 흩을 때마다 햇빛이 수평선으로 떨어진다. 수천수만의 새떼 같은 눈송이들이 신기루처럼 나타나 바다 위를 쓸려 다니다 빛과 함께 홀연히 사라진다. 내가 이마를 대고 있는 차가운 차창에도, 두 개의 와이퍼가 끼익, 끽 소리를 내며 닦아내는 버스 앞유리에도 커다란 눈송이들이 쉼없이 부딪혔다 사라지고 있다.

나는 고개를 바로 하고 패딩 코트의 주머니를 뒤적인다. 손에 잡힌 얇은 껌 상자를 꺼내 연다. 임박한 보딩 시간에 쫓기며 김포공항의 편의점에서 산 것이다. 은박을 씌운 태블릿에 박혀 있던 열두 개의 조그만 정방형 껌 중 한 알은 비행기가 이륙할 때 씹었고, 이제 두번째 알을 꺼내 손바닥에 올려놓는다. 매끄러운 곡선으로 배가 부풀어오른 그걸 입에 넣고 씹기 시작한다. 멀리서부터 얼음이 갈라지듯 다가오는 편두통의 전조 때문이다. 끔찍한 위경련과 혈압 강하를 동반하는 이 오래된 두통의 원인을 나는 모른다. 언제 찾아올지 모르기 때문에 늘 약을 지니고 다니는데, 오늘은 잠시 집 앞에 나왔다가 바로 이곳까지 왔기 때문에 챙기지 못했다. 전조를 지나 정말 증상이 시작되고 나면 어떤 응급 처방도 무의미하다. 그 직전의 임계에서 도움이 되는 것은 경험상 껌뿐이다. 가장 부드러운 죽조차 해롭다. 일단 두통이 시작되면 결국 토하게 된다.

어디까지 감수꽈?

운전기사가 제주 말로 소리쳐 묻는다. 나에게 가방이 없기 때문에, 먼 여행의 외출복으로 적당해 보이지 않는 커다란 옷을 입고 있기 때문에 현지인이라고 생각한 것이다.

P읍까지요.

어디?

나는 더 목소리를 높여 대답한다.

P읍에 도착하면 알려주시겠어요?

지척인데도 기사의 대답이 정확히 들리지 않는다. 차창 밖의 바람이 소리를 삼켜버리기 때문이다. 그가 내 목적지를 물은 건 대부분의 정류장에 사람이 없기 때문인 것 같다. 버스에 승객은 나뿐이니, 멀리서 보아 정류장에 사람이 없다 싶으면 속력을 줄이지 않고 통과하려는 것이다.

그러나 바로 다음 정거장에 사람이 있다. 관광객으로 보이는 삼십대 남자가 눈보라 속에서 상체를 도로 쪽으로 내밀고서 손을 흔들고 있다. 강풍을 버티며 기다리는 것만으로 힘들었던 듯, 그는 요금도 치르지 않고 운전석의 바로 뒷좌석에 무너져 앉는다. 무거워 보이는 배낭을 힘겹게 벗어 옆 좌석에 놓은 뒤에야 점퍼 안주머니에서 지갑을 꺼낸다.

공항 가지요?

교통카드를 찍으며 그가 묻자 기사가 큰 소리로 대답한다.

아, 공항 가려면 건너편에서 타야지. 그리고 비행기 안 뜹니다.

공항 안 갑니까?

거의 절망적인 피로가 남자의 목소리에서 묻어 나온다.

버스 앞에 분명히 붙어 있잖습니까? 공항 간다고.

공항에 가기는 가지. 그런데 멀리 돌아가니까 건너편에서 타야 한다고요.

얼마나 오래 기다렸는데요. 공항에 가기만 하면 그냥 이거 타고 가겠습니다.

두 시간은 더 돌아가는데?

운전기사가 혀를 찬다.

돌아서 가는 거야 뭐 손님 맘인데, 오늘 비행기는 안 뜬다니까.

압니다. 내일 아침까지 공항에서 기다릴 겁니다.

남자는 시종 깍듯한 말씨를 쓰고 있지만, 운전기사가 절반쯤 섞어 쓰는 반말 때문인지 어딘가 울분을 누르고 있는 것처럼 들린다.

공항에서 아침까지? 열한시면 불 끄고 다 나가라고 하는데?

공항에서 밤샘이 안 된다고요?

놀란 듯 남자가 되묻는다.

그럼 오늘 비행기 못 탄 사람들은 어떡합니까?

뭘 어떡해요, 숙소를 잡아야지…… 큰일날 사람이네 이거. 대책도 없이 이런 날씨에.

망연한 얼굴로 입을 벌리고 있는 남자를 백미러로 곁눈질하며 기사가 고개를 젓는다.

대화는 거기서 끊어진다. 남자가 체념한 듯 안전벨트를 매고 휴대폰을 켜 든다. 제주 시내 숙소를 검색하거나 지인에게 연락을 하는 것이리라. 그의 배낭이 반쯤 가리고 있는 내륙 쪽 차창으로 나는 눈을 돌린다. 해발 이천 미터의 사화산이 서 있어야 할 방향이지만 어떤 형상도 시야에 들어오지 않는다. 먹구름과 눈안개의 희고 거대한 덩어리가 허공 가득 일렁이고 있을 뿐이다. 해안에는 아슬아슬하게 눈이 쌓이지 않지만, 조금만 고도가 높아져도 상황은 다를 것이다. 한순간 구름이 흩어지며 기적처럼 내리비치는 햇빛, 낮게 나는 새들처럼 해수면 위로 나부끼는 찬란한 눈송이들의 자비 같은 건 저 산간에 없을 것이다. 이제 P읍에 도착하고 나면 숨막히는 밀도의 저 눈보라 속으로 들어가야 하는 거다.

*

이런 눈에 인선은 익숙할까, 나는 문득 생각한다. 이런 눈보라가 그녀에게는 놀랍거나 특별한 일이 아닐까. 어디까지 구름이고 안개이고 눈인지 구별할 수 없는 저 일렁이는 회백색 덩어리가. 자신이 태어나 자란 돌집이 저 거대한 덩어리 속에 분명한 좌표로 존재하고, 죽었는지 살았는지 모를 새 한 마리가 그곳에서 기다리고 있다는 사실이.

함께 출장 여행을 다니던 첫해, 인선은 고향 이야기를 좀처럼 하지 않았던데다 완전한 서울말을 썼기 때문에 나에게는 서울내기와 다름없게 느껴졌다. 어느 밤 숙소 로비의 공중전화로 어머니에게 전화를 걸어 나누는 대화를 옆에서 듣고서야 인선이 먼 섬에서 왔다는 사실을 실감했다. 몇 개의 명사들 말고는 이해하기 어려운 방언을 그녀는 구사했다. 웃음 띤 얼굴로 무엇인가 연달아 물었고, 알아들을 수 없는 문장들로 농담을 건네고는, 내가 이해할 수 없는 맥락으로 커다란 웃음을 터뜨린 뒤 송수화기를 내려놓았다.

뭐가 그렇게 재밌어, 엄마하고?

내가 묻자 그녀는 선선히 대답했다.

별거 아냐. 그냥 또 농구를 본다고 하셔서.

웃음의 여운이 아직 그녀의 얼굴에 남아 있었다.

엄마는, 그냥 할머니야. 마흔 지나서 나를 낳았거든. 그러니까 환갑이 훨씬 넘으셨어. 농구 규칙도 모르면서 보는 거야, 사람들이 많이 나오니까. 집이 외떨어져 있어서 일이 없을 땐 적적해하시거든.

그녀의 목소리에는 단짝 친구의 비밀스런 습관을 흉보는 것 같은 장난기가 어려 있었다.

그 연세에 일을 아직도 하셔?

그럼. 할머니들은 팔순까지도 일을 해. 귤 수확할 때는 품앗이로 서로 도와주고.

인선은 다시 웃으며 좀전의 이야기로 돌아갔다.

축구 경기를 하면 그것도 좋아하셔. 사람들이 더 많이 나오잖아. 뉴스에서 행진하고 시위하는 장면도 얼마나 유심히 보는지 몰

라. 누구 아는 사람이 나온다는 말이라도 들은 것같이.

그후 기차나 고속버스에서 시간이 잘 가지 않을 때, 식당에서 음식이 나오지 않을 때면 나는 이따금 인선에게 제주 말을 가르쳐 달라고 청했다. 그녀가 어머니에게 쓰던, 유성음이 많고 억양이 부드러운 방언이 듣기 좋았기 때문이다.

어차피 네가 제주 여행 가선 못 쓸 텐데. 육지 사람인 거 다 느껴져서.

처음에 인선은 내키지 않아했지만, 내가 정말 관심을 보이자 쉬운 것부터 차근차근 알려주었다. 가장 재미있었던 것은 육지 말과 다르게 활용되는 동사와 형용사의 어미들이었다. 가끔 회화 연습도 했는데, 하다-핸-하멘-하잰으로 이어지는 시제 활용을 내가 틀릴 때마다 인선은 웃음 띤 얼굴로 교정해주었다. 언젠가 그녀는 말했다.

바람이 센 곳이라 그렇대, 어미들이 이렇게 짧은 게. 바람소리가 말끝을 끊어가버리니까.

그렇게 인선의 고향은 그녀가 가르쳐주는 담담한 방언—어미들이 홀홀히 짧은—과, 사람이 그리워 농구 경기를 즐겨 본다는 아이 같은 할머니의 이미지로만 남아 있었다. 내가 잡지 일을 막 그만두었던 연말, 일을 사이에 두지 않은 순수한 친구로서는 처음으로 그녀를 만난 저녁까지는.

그 세밑의 밤, 차량 통행이 많지 않은 이차선 도로 쪽으로 통창을 낸 국숫집에서 우리는 함께 늦은 저녁을 먹었다. 해가 바뀌면 두 사람의 나이에 한 살씩이 더해진다는 사실이 당시로선 무겁게 느껴졌던 기억이 난다.

눈 온다.

인선의 말에 나는 국숫발을 이로 끊고서 창밖을 내다봤다.

안 오는데.

차가 지나갈 때 보였어.

곧이어 승용차 한 대가 지나가자, 전조등 불빛이 비추는 검은 허공 위로 고운 소금 가루 같은 눈발이 반짝였다.

젓가락을 내려놓고 인선은 식당 밖으로 나갔다. 나는 계속 국수를 먹으며 통창 너머 그녀의 뒷모습을 내다보았다. 어딘가에 전화를 걸려고 나가는 줄 알았는데, 그녀의 휴대폰은 탁자 위에 얌전히 놓여 있었다. 사진을 찍으려는 걸까? 카메라도 두고 나갔지만, 어떻게 촬영할 것인지 생각하고 있는지도 몰랐다. 인선과 동행할 때면 그런 일이 자주 있어서 나는 언제나 둘 중 하나를 택해야 했다. 그녀가 무엇을 관찰하고 카메라에 담는지 호기심을 품고 지켜보거나, 나대로 다른 생각을 하며 느긋하게 기다리거나.

짐작과 다르게 인선은 카메라를 가지러 되돌아오지 않았다. 어깨와 날개뼈의 깡마른 윤곽이 드러나는 얇은 목 폴라 바람으로, 색이 옅은 청바지 호주머니에 두 손을 넣은 채 꼼짝 않고 서 있었을 뿐이다. 택시 한 대가 다시 지나갔고, 전조등이 비추는 허공으로 소금 가루 같은 눈발이 흩어졌다. 그녀는 마치 모든 것을 잊은 사람 같았다. 먹다 만 국수를. 일행인 나를. 날짜와 시간과 장소를. 이윽고 식당으로 들어온 그녀의 머리에 쌓인 약간의 눈이, 우리 탁자까지 걸어오는 짧은 동안 녹아 자잘한 물방울로 맺히는 것을 나는 보았다.

말없이 우리는 남은 국수를 먹었다. 누군가를 오래 만나다보면 어떤 순간에 말을 아껴야 하는지 어렴풋이 배우게 된다. 두 사람 모두 젓가락을 내려놓고도 한참 시간이 흘렀을 때에야 그녀는 입을 열어, 열여덟 살에 자신이 가출한 적이 있다고, 그때 죽을 고비를 한 번 넘겼었다고 말했다. 나는 내심 놀랐다. 인선이 아홉 살일 때 홀로되어 딸을 대학까지 보낸 연로한 어머니에게 그녀가 평소 얼마나 각별한지 알고 있었기 때문이다.

네가 늘 할머니 같은 엄마라고 해서, 정말 나하고 외할머니 사이 같은 줄 알았는데.

나는 인선에게 말했다.

외할머니는 부모님하고 다르셨거든. 서로 복잡한 마음이란 게 조금도 없고…… 끝없이 주기만 하시고.

가만히 웃으며 인선이 동의했다.

정말 그랬어, 엄마는. 정말 할머니처럼 나를 대했어. 아무것도 기대하거나 꾸짖지 않았어.

마치 어머니가 곁에서 듣고 있는 것처럼 인선의 어조는 조심스러웠다.

어릴 땐 아무 불만도 없었어. 아버지도 어머니도 음성이 크지 않아서 집은 늘 조용했어. 아버지가 돌아가신 뒤엔 더 조용해졌지. 세상에 엄마하고 나, 둘뿐이란 걸 언제나 느꼈어. 밤에 배앓이를 가끔 했는데, 엄마는 내 엄지손가락을 실로 묶고 바늘로 손톱 아래를 따주고는 한없이 배를 문질러줬어. 허이고, 수수깡 같은 내 똘. 아방 닮앙 신경이 명주실 같아그네…… 한숨 섞어 자꾸 혼잣말을 하면서.

커다란 대접 속을 젓가락으로 휘휘 젓다가, 더이상 남은 국숫가락이 없다는 것을 깨닫고서 그녀는 젓가락을 탁자에 내려놓았다. 누군가에게 검사를 받아야 하는 것처럼 반듯하게 젓가락의 키를 맞췄다.

그런데 그해엔 왜 그렇게 엄마가 미웠는지 몰라.

*

훅, 하고 뜨거운 게 명치에서부터 목구멍을 타고 올라오면 견딜 수 없었어. 집이 싫었어. 외딴집에서 버스 정류장까지 삼십 분 넘게 걸어야 하는 길도 싫고, 버스에 실려 도착하는 학교도 싫었어. 수업 시작을 알리는 〈엘리제를 위하여〉가 싫었어. 수업시간이 싫

고, 아무것도 그리 싫어하지 않는 것 같은 아이들이 싫고, 주말마다 빨아서 다려 입어야 하는 교복이 싫었어.

그러던 언젠가부터 엄마가 싫어지기 시작했어. 그냥, 이 세상이 역겨운 것처럼 엄마가 역겨웠어. 나 자신이 혐오스러운 것과 똑같이 엄마가 혐오스러웠어. 엄마가 해주는 음식이 지긋지긋하고, 흠집투성이 밥상을 꼼꼼히 행주질하는 뒷모습이 끔찍하고, 옛날식으로 틀어올린 하얗게 센 머리가 싫고, 무슨 벌을 받는 사람처럼 구부정한 걸음걸이가 답답했어. 점점 미움이 커져서 나중에는 숨도 잘 쉴 수 없었어. 무슨 불덩이 같은 게 쉬지 않고 명치께에서 끓어오르는 것 같았어.

결국 집을 나온 건 살고 싶어서였어. 그러지 않으면 그 불덩이가 나를 죽일 것 같아서. 아침에 눈을 뜨자마자 교복으로 갈아입고, 배낭에는 교과서와 공책 대신 속옷과 양말을, 보조 가방엔 체육복 대신 사복을 넣었어. 12월 이맘때였어. 품앗이로 귤을 수확하고 포장하던 때라 엄마는 새벽부터 마을에 나가 일을 했어. 엄마가 보자기로 덮어두고 간 밥을 먹는 둥 마는 둥 하면서 나는 돈이 있을 만한 장소를 찾았어. 텔레비전 아래, 전기 수도 요금 고지서를 넣어두는 양철 과자통 속에 제법 큰 돈이 있었어. 먼저 수확한 우리 밭 귤을 판 돈.

집을 나서기 직전에, 엄마가 쓰는 안방을 돌아봤던 기억이 나. 미닫이문이 열려 있었고 이불은 반듯이 개켜져 있었어. 하지만 전기장판이 깔린 요는 그대로 펼쳐져 있었어. 그 요 아래 실톱이 있다는 걸 나는 알고 있었어. 날카로운 쇠붙이를 깔고 자야 악몽을 안 꾼다는 미신을 엄마는 믿었거든. 하지만 실톱을 깔고도 엄마는 자주 꿈을 꿨어. 숨을 죽여 몸서리를 치고, 이따금 들고양이처럼 이상한 소리를 내면서 흐느껴 울었어. 그 모습, 그 소리가 나한텐 지옥이었어. 후회하지 않을 거라고, 다신 안 돌아올 거라고 그때 스스로에게 맹세했어. 저 사람이 내 인생을 더이상 어둡게 채색하도록 내버려두지 않겠다고. 구부정한 등과 끔찍하게 여린 목소리로. 세상에서 가장 나약하고 비겁한 인간의 모습으로.

여객선 터미널 화장실에서 사복으로 갈아입고, 완도행 페리호 티켓을 끊어 섬을 떠났어. 목포 터미널에서 고속버스를 타고 서울에 도착하자 밤이 깊어 있었어. 터미널 근처 값싼 숙소에 묵었는데, 객실 잠금장치를 몇 번이나 확인하고도 불안했던 기억이 나. 이부자리에 모르는 사람의 머리카락들이 있는 게 싫어서, 물에 적신 휴지로 다 닦아내고도 동그랗게 등을 웅크리고 잤어. 그렇게 하면 더러움으로부터 보호받을 수 있을 것처럼.

다음날 숙소를 나와 서울 사는 조카 언니에게 전화를 걸었어. 내가 전에 이야기했을 거야. 엄마의 하나뿐인 언니의 손녀딸—지금 호주 가 있는—. 일찍 돌아가신 이모는 엄마와 달리 결혼을 빨리 하고 아이를 바로 낳아서, 사촌언니가 외려 나에겐 엄마뻘이고 오촌 조카 언니는 나보다 두 살 많아. 그냥 언니라고만 하면 어른들에게 혼나니까 어릴 때부터 조카 언니라는 어색한 호칭으로 부른 거지.

그때 조카 언니는 대학 신입생이었는데, 내 전화를 받고는 종로로 찾아올 수 있겠느냐고, YMCA 건물 로비에서 만나자고 했어. 언니는 의리를 지켜서 다행히 어른들을 데리고 나오진 않았지만 나를 보자마자 나무라기 시작했어. 대체 이게 무슨 일이냐고, 어서 집으로 돌아가라고 했지. 고등학교 졸업은 해야 하지 않겠느냐고, 엄마에게 전화는 했느냐고, 돌아갈 차비는 있느냐고, 지금 묵는 데가 어디냐고 물었어. 그 어떤 말에도 대답하지 않고 나는 그곳을 도망쳐 나왔어. 누구에게도 말하지 말아달라고 내가 당부했지만, 언니가 그날 모두에게 말할 거란 걸 알 수 있었어.

숙소로 돌아오는 길에 스스로 다짐했어. 언니가 말한 모든 걸 반대로 하겠다고. 엄마에게 전화하지 않고, 물론 섬으로 돌아가지 않고, 고등학교를 졸업하지 않을 거라고. 일단 일자리를 찾아야 한다고 생각했어. 터미널 근처 일식당에 붙은 구인 공고를 보고서 면접을 보러 들어갔어. 그곳에서 가까운 교육대학에 일 년 다니다 휴학중이라고 떨면서 말했는데, 사장은 이상하게도 의심하지 않았어. 앞치마를 두르게 하고 두 시간 동안 홀 서빙 일을 시켜보고는 다음날부터 바로 출근하라고 했어.

식당을 나와 숙소를 향해 걷는 동안 나는 얼마간 흥분 상태였던 것 같아. 한 걸음씩 내디딜 때마다 수많은 인파가 눈앞에서 활짝 갈라지며 자, 이제 넌 앞으로만 걸어, 라고 말해주는 것 같았어. 가슴 한편은 조여들며 불안한데, 머리 위로 계속 얼음물이 끼얹어지는 것처럼 정신이 또렷했어. 이런 느낌을 자유라고 부르는 건가, 생각했던 기억이 나. 날은 빨리 어두워지고, 섬에선 충분히 따뜻한 반코트였지만 지독하게 한기가 파고들어왔어. 코트 깃을 올려 세우고, 고개를 수그려서 칼바람이 목으로 조금이라도 덜 들어오게 하며 걷다가, 살얼음 위로 엷게 눈이 쌓여 있던 축대에서 발이 미끄러졌어. 떨어지는 동안 두 발로 느꼈던 허공의 감각이 기억나. 바닥이 없구나. 아직도 없구나. 죽는구나. 그 깊이가 오 미터였다는 건 나중에 알았어.

다음날 정오께에 나는 발견되었대. 축대 아래로 파헤쳐진 공사현장이 있었고, 여름부터 공사가 중단돼 버려져 있던 현장의 소유권이 마침 그날 이전돼 새 주인과 부동산 중개업자가 함께 보러 왔던 거야. 시체가 있는 줄 알고 기겁을 했는데, 숨을 쉬고 있어서 더 놀랐다고 했어.

내가 죽지 않은 건 지하수 배수를 위해 쌓아놓은 부직포 더미 위로 떨어졌기 때문이었어. 천운으로 어떤 뼈도 부러지지 않았지만, 문제는 머리에 받은 충격이었어. 의식이 없던 열흘 동안 나는 무연고 환자로 분류돼 인근 종합병원에 입원해 있었어. 마침내 잠시 의식이 돌아왔을 때 간호사가 이름을 물어서 내가 대답했다는데, 그 기억은 전혀 나지 않아. 기억하는 건 얼핏 정신이 들었을

때 오촌 조카 언니가 새빨개진 눈으로 머리맡에 앉아 있었던 거야. 다시 의식을 잃었다가 눈을 뜨자 이번엔 같은 자리에 엄마가 있었어. 어두운 병실에 취침등만 켜져 있었는데, 어둠 속에서 새카맣게 눈을 빛내면서 엄마가 내 눈을 들여다봤어.

인선아, 하고 엄마는 나를 불렀어.

대답해보라. 나 알아보크냐?

내가 응, 하고 대답했을 때 엄마는 울지도, 나를 나무라지도, 소리쳐서 간호사를 부르지도 않았어. 대신 두서없이 말하기 시작했지. 언제부턴지 모르게 내 손을 꽉 붙잡고서, 여전히 새카맣게 눈을 빛내면서.

내가 다친 걸 진작 알았다고 그때 엄만 말했어. 병원에서 연락 오기 전에 이미 알고 있었다고. 내가 축대에서 떨어졌던 그 밤에 꿈을 꿨다고 했어. 다섯 살 모습으로 내가 눈밭에 앉아 있었는데, 내 뺨에 내려앉은 눈이 이상하게 녹지를 않더래. 꿈속에서 엄마 몸이 덜덜 떨릴 만큼 그게 무서웠대. 따뜻한 애기 얼굴에 왜 눈이 안 녹고 그대로 있나.

*

그 이야기를 들었을 때는 내가 인선의 어머니를 직접 만나보기 전이었다. 그후 십 년이 흘러 인선이 제주로 내려간 지 얼마 되지 않았을 때, 당시 내가 다니던 직장에서 마침 제주로 짧은 연수를 갔다. 어렵게 저녁 일정을 빼서 택시를 불러 타고 인선의 집을 찾았을 때, 치매 초기라고 들었던 그녀의 어머니가 예상 밖으로 깔끔하고 차분한 노인이어서 나는 놀랐다. 인선과 달리 자그마한 키에, 이목구비가 오밀조밀하고 음성이 고와 마치 아직 소녀인 채로 늙은 사람 같았다. 잘 놀다 가세요, 내 손을 가만히 잡고 인사하는 그를 뒤로하고 방을 나왔을 때 인선은 말했다.

낯선 사람을 만나면 긴장을 하는지 정신이 또렷해지셔. 워낙에 폐 끼치는 걸 싫어하는 성정이라 그런가봐. 대신 나한테는 울기도 하고 짜증도 내고, 어리광을 많이 부리셔. 내가 언니라고 생각할 때가 많거든.

다음날 서울행 비행기에 몸을 실으며 나는 오래전 겨울에 들었던 인선의 가출 이야기를 떠올렸고, 이상하게도 그 어머니만큼이나 인선이 안쓰럽게 느껴졌었다. 만 열일곱 살 아이가, 얼마나 자신이 밉고 세상이 싫었으면 저렇게 조그만 사람을 미워했을까? 실톱을 깔고 잔다고. 악몽을 꾸며 이를 갈고 눈물을 흘린다고. 음성이 작고 어깨가 공처럼 굽었다고.

*

국숫집을 나와 우리는 말없이 걸었다. 인선의 숱 많은 단발머리에 소슬히 눈이 쌓였다. 아마 내 머리에도 그만큼 쌓였을 것이다. 길모퉁이를 돌 때마다 인적 없는 하얀 거리가 커다란 그림책처럼 펼쳐졌다. 우리 발이 눈을 밟는 소리, 파카에 소매 스치는 소리, 멀리 있는 가게에서 셔터 내리는 소리가 정적 속에 또렷했다. 우리 입과 코에서 흰 김이 흘러나왔다. 눈송이들이 콧잔등과 입술에 내려앉았다. 우리는 따뜻한 얼굴을 가졌으므로 그 눈송이들은 곧 녹았고, 그 젖은 자리 위로 다시 새로운 눈송이가 선득하게 내려앉았다. 각자의 집으로 돌아가기 위해 어떤 길로 가야 하는지에 대해 두 사람 모두 생각하지 않았던 것 같다. 마치 연인들이 짧은 이별을 미루기 위해 우회로를 택하듯 계속해서 지하철역 반대 방향으로 걸으며, 모퉁이를 돌 때마다 다음 페이지를 넘기듯 펼쳐지는 고요한 횡단보도를 건너며 나는 기다렸다. 침묵을 깨고 인선이 다음 이야기를 들려주기를.

*

내가 퇴원해서 함께 제주 집으로 돌아간 밤에 엄마는 한번 더 그 눈송이 이야기를 했어. 이번엔 그 꿈 이야기가 아니라, 그 꿈이 기원한 생시 이야기를. 아직 회복도 안 된 나에게 또다시 도망갈 힘이 있을 거라고 생각했는지, 밤새 곁에 누워서 내 손목을 잡고,

잠결에 놓았다가도 흠칫 놀라 다시 꽉 붙잡으면서.

엄마가 어렸을 때 군경이 마을 사람들을 모두 죽였는데, 그때 국민학교 졸업반이던 엄마랑 열일곱 살 이모만 당숙네에 심부름을 가 있어서 그 일을 피했다고 엄마는 말했어. 다음날 소식을 들은 자매 둘이 마을로 돌아와, 오후 내내 국민학교 운동장을 헤매 다녔대. 아버지와 어머니, 오빠와 여덟 살 여동생 시신을 찾으려고. 여기저기 포개지고 쓰러진 사람들을 확인하는데, 간밤부터 내린 눈이 얼굴마다 얇게 덮여서 얼어 있었대. 눈 때문에 얼굴을 알아볼 수 없으니까, 이모가 차마 맨손으론 못하고 손수건으로 일일이 눈송이를 닦아내 확인을 했대. 내가 닦을 테니까 너는 잘 봐, 라고 이모가 말했다고 했어. 죽은 얼굴들을 만지는 걸 동생한테 시키지 않으려고 그랬을 텐데, 잘 보라는 그 말이 이상하게 무서워서 엄마는 이모 소맷자락을 붙잡고, 질끈 눈을 감고서 매달리다시피 걸었대. 보라고, 네가 잘 보고 얘기해주라고 이모가 말할 때마다 눈을 뜨고 억지로 봤대. 그날 똑똑히 알았다는 거야. 죽으면 사람의 몸이 차가워진다는 걸. 맨뺨에 눈이 쌓이고 피 어린 살얼음이 낀다는 걸.

*

전부터 관심을 가졌던 다큐 영화 작업을 본격적으로 인선이 시작한 건 그 이듬해부터였다. 그 눈 내리던 밤 그녀가 나에게 그 이야기를 들려준 것이, 아마 앞으로 할 작업들의 밑그림을 그즈음 그리고 있었기 때문일 거라고 후에 나는 짐작했었다.

끝없이 펼쳐지던 하얀 페이지들을 한 장씩 도로 접어가듯 이제 우리는 왔던 길을 되짚어 지하철역 쪽으로 걷고 있었다. 부리가 젖은 운동화 속 발가락들이 시렸다. 파카 호주머니에 찔러넣은 주먹들이 딱딱하게 얼었다. 머리에 더 눈이 쌓여 이젠 마치 흰 털실로 뜬 모자를 쓴 것처럼 보이는 인선이 입을 벌려 말할 때마다 반투명한 불꽃 같은 입김이 흘러나와 어둠 속에 번졌다.

*

그때까지 난 전혀 몰랐어. 외조부모님이 안 계시고 친척이 큰이모 식구들뿐인 게 그저 유난히 엄마 형제가 적은 거라고 생각했지. 아마 나 말고도 많은 아이들이 그랬을 거야. 그때도 지금도 어른들은 그 이야기를 꺼내지 않으니까.

그날 밤 엄마가 나에게 그 이야기를 한 건 뭐랄까, 어떤 열기에 사로잡혔기 때문인 것 같아. 아니, 냉기라고 하는 게 맞을지도 몰라. 엄만 추운 사람처럼 계속해서 턱을 떨고 있었으니까. 뼛속까지 잘 안다고 생각했던 조용하고 슬픈 할머니의 모습이 아니어서 나는 혼란스러웠어. 그 순간 엄마를 다른 사람으로 만든 게 처음

으로 딸에게 들려주는 수십 년 전의 일인지, 최근에 딸을 잃을 뻔한 사고의 충격인지 분명하지 않았어. 다만 이상한 건, 엄마가 내 가출에 대해 그때에도, 그후로도 전혀 입에 담지 않았다는 거야. 내 행동을 탓하지 않았고, 이유조차 묻지 않았어. 수십 년 전 그 일에 대해서도 마찬가지였어. 어린 자매가 가족들의 시신을 찾아내 장사를 치른 과정에 대해서도, 그후 어떤 끈기와 행운으로 살아남았는지에 대해서도 이야기하지 않았어. 오직 그 눈에 대해서만 말했을 뿐이야. 수십 년 전 생시에 보았고 얼마 전 꿈에서 보았던, 녹지 않는 그 눈송이들의 인과관계가 당신의 인생을 꿰뚫는 가장 무서운 논리이기라도 한 것처럼.

계속해서 엄마는 말했어.

내가, 눈만 오민 내가, 그 생각이 남져. 생각을 안 하젠 해도 자꾸만 생각이 남서. 헌디 너가 그날 밤 꿈에, 그추룩 얼굴에 눈이 히영하게 묻엉으네⋯⋯ 내가 새벽에 눈을 뜨자마자 이 애기가 죽었구나, 생각을 했주. 허이고, 나는 너가 죽은 줄만 알아그네.

*

어머니를 생각하는 마음이 온전히 편안해진 건 아니었다고 그때 인선은 말했다. 그후로도 여전히 복잡했고, 어떤 점에선 오히려 더 혼란스러웠다고. 하지만 잠시도 견디기 어렵던 미움은 그날 밤 거짓말처럼 사라졌으므로, 이제는 알 수 없다고 했다. 명치에 걸려 그토록 이글이글 타던 불덩이가 무엇을 향한 것이었는지.

그후로 엄만 다시 그 이야기를 꺼내지 않았는데, 이야기는커녕 내색조차 하지 않았는데, 이렇게 눈이 내리면 생각나. 내가 직접 본 것도 아닌데, 그 학교 운동장을 저녁까지 헤매 다녔다는 여자애가. 열일곱 살 먹은 언니가 어른인 줄 알고 그 소맷자락에, 눈을 뜨지도 감지도 못하고 그 팔에 매달려 걸었다는 열세 살 아이가.

*

버스 앞유리의 와이퍼가 끈질기게 움직이고 있지만 속수무책으로 달려드는 눈보라를 지워내지 못한다. 눈의 밀도가 높아질수록 버스의 속력이 잦아든다. 시야가 불분명한 전방을 주시하는 운전기사의 옆얼굴에 긴장이 어려 있다. 운전석 뒤에 앉은 관광객 남자도 초조한 듯 턱을 손으로 고인 채 버스 앞유리 너머를 바라보고 있다.

버스에서 내리자마자 저 눈보라를 헤치고 걸어야 하는 거라고 나는 생각한다. 눈을 제대로 뜨기도 어려운 바람 속에서, 거의 감은 눈으로 한 걸음씩 내디뎌야 할 거다.

인선에게는 이런 눈이 익숙하겠지, 나는 생각한다.

내가 인선이라면, 하고 이어서 생각한다.

그녀의 침착한 성격을, 어떤 일도 쉽게 체념하지 않는 끈질긴 기질을 생각한다. 그녀라면 버스에서 내리자마자 할 거라고 짐작되는 일을 상상한다.

그녀가 나라면 랜턴을 살 것이다. 지선버스가 바로 연결되지 않아 날이 완전히 저물어버린다면 가로등 없는 들길을 걸어야 할 테니까. 장화와 부삽도 구할 것이다. 해안도로와 달리 중산간에는 아침부터 내린 폭설이 고스란히 쌓여 있을 테니까.

사실은 미친 짓이야, 라고 나는 낮게 중얼거린다. 나는 인선이 아니고, 이런 눈에 익숙하기는커녕 경험해본 적도 없고, 이 눈보라를 뚫고 오늘밤 그녀의 집으로 갈 만큼 그 새를 사랑하지 않는다.

*

마침내 버스가 P읍으로 들어서고 있는 것을, 농협과 우체국의 간판들로 나는 짐작한다. 손을 뻗어 하차 벨을 누르자 버스가 더 속력을 줄인다. 마치 약속한 듯 차창 밖의 바람도 잦아든 것처럼 보인다. 아니, 잦아든 것이 아니다. 거짓말처럼 어느새 멎어 있다. 태풍의 눈 속으로 갑자기 들어선 것 같다. 이제 오후 네시를 조금 넘겼는데, 더 큰 폭설이 다가오기라도 하려는 듯 어둡다.

거리에 인적이 보이지 않는다. 눈 닿는 이차선 도로 어디에도 차량이 다니지 않는다. 움직이는 것은 믿을 수 없이 느리게 떨어지고 있는 함박눈뿐이다. 허공을 가득 메운 눈송이들 사이로 선홍색 신호등이 켜진다. 버스가 횡단보도 앞에 멈춰 선다. 젖은 아스팔트 위로 눈이 내려앉을 때마다 그것들은 잠시 망설이는 것처럼 보인다. 그럼…… 그래야지…… 라고 습관적으로 대화를 맺는 사람의 탄식하는 말투처럼, 끝이 가까워질수록 정적을 닮아가는 음악의 종지부처럼, 누군가의 어깨에 얹으려다 말고 조심스럽게 내려뜨리는 손끝처럼 눈송이들은 검게 젖은 아스팔트 위로 내려앉았다가 이내 흔적없이 사라진다.

4
새

버스에 실려 여기까지 오는 동안 이렇게 바람이 갑자기 멎는 때가 서너 차례 있었다. 알 수 없는 이유로 기상 상황이 급격히 변하는 거라고 그때마다 생각했다. 그런데 그 짐작이 틀렸던 걸까? 예외적으로 어떤 장소에선 바람이 불지 않았던 걸까. 지금 이 순간 그곳들로 돌아가면, 변함없는 고요 속에 함박눈이 내리고 있는 것 아닐까, 이곳처럼?

나를 내려준 뒤 다시 출발하는 버스의 엔진음이 눈의 정적 속으로 무디게 삼켜진다. 속눈썹에 내려앉는 눈송이를 손바닥으로 닦아내며 나는 방향을 찾는다. 일주버스가 다니는 이 대로변에는 지선버스가 서지 않는다. 예전에 인선이 트럭 조수석에 나를 태우고 내려오며 알려줬던 네거리 정류장의 위치를 기억해야 한다. 앞쪽과 뒤쪽 교차로 중 어느 길모퉁이를 돌아야 할까? 일단 앞을 향해 걷기로 한다. 방향을 잃을 염려는 없다. 중산간 쪽으로 일렁이는 거대한 눈구름 덩어리를 향하기만 하면 된다. 저 모퉁이에서 정류장이 보이지 않으면 뒤돌아서 걸으면 된다.

너무 고요하다.

계속해서 이마와 뺨에 부딪혀 맺히는 눈의 차가움이 아니라면 꿈이라고 의심했을지도 모른다. 어디에도 사람이나 차량이 보이지 않는 건 단지 폭설 때문일까? 멸치국수와 물회를 파는 식당들에 불이 꺼져 있는 것은 일요일이라서일까? 뒤집혀서 식탁 위에 올라가 있는 철제 의자들, 홀 바닥에 쓰러져 있는 입간판에서 마치 장시간 영업을 중단한 것 같은 분위기가 풍겨나온다. 조악한 간판을 단 아웃도어 용품점은 셔터가 내려져 있다. 옷가게의 마네킹들은 얇은 가을옷 차림이고, 긴 행거에 걸린 옷들 위로 미색 천이 덮여 있다. 적막에 싸인 이 읍에서 불을 밝힌 곳은 길모퉁이의 작은 슈퍼마켓뿐이다.

저 가게에서 랜턴과 부삽을 구해야 한다. 조그만 상점에서 그런 것들까지 파는지 알 수 없지만, 최소한 구할 방법을 물을 수 있을 거다. 운이 좋다면 빌릴 수 있을지도 모른다. 인선의 마을로 들어가는 버스가 어디에 서는지도 확인할 수 있을 거다. 그때 가게 불이 꺼지며 주인으로 보이는 점퍼 차림의 중년 남자가 문을 열고 나온다. 익숙한 동작으로 유리문 손잡이에 체인을 거는가 싶더니 순식간에 자물쇠를 잠근다. 나는 걸음을 빨리한다.

잠깐만요.

가게 앞에 주차돼 있던 소형 트럭에 그가 몸을 싣는다. 나는 달리기 시작한다. 쉴새없이 속눈썹에 내려앉는 눈송이들을 닦아낸다.

잠깐만요 아저씨.

수만 송이의 함박눈이 내 목소리를 빨아들여 지우는 것 같다. 트럭에 시동 걸리는 소리가 눈의 정적 속으로 둔하게 번진다. 텅 빈 도로로 트럭이 후진한다. 운전석을 향해 나는 손을 흔든다. 순식간에 멀어지는 트럭의 뒷모습을 눈으로 좇는다.

*

더이상 달리지 않는다. 눈송이들이 떨어지는 속도가 시간의 흐름과 일치하는 것 같은, 내 걸음도 거기 맞춰야 할 것 같은 기묘한 느낌에 사로잡혀 나는 걷는다. 트럭이 우회전해 항구 쪽으로 사라진 네거리에 다다라 중산간 방향을 올려다본다. 멀리 서 있는 저 조그만 푯대는 내가 찾고 있는 정거장일까?

검게 젖은 아스팔트로 매초마다 수천 송이의 눈이 내려앉아 사라지고 있는 횡단보도를 나는 가로지른다. 오십 미터 가까이 걸어 올라갔을 때에야 그 푯대가 버스 정류장이라는 게 확실해진다. 눈비를 피할 수 있는 어떤 구조물도 없다. 노선번호도 안내문도 표기되지 않은, 조그만 버스 아이콘 하나가 그려져 있을 뿐인 알루미늄 표지판이 철제 기둥에 매달려 눈을 맞고 있다.

*

정거장을 향해 나아가며 생각한다. 바람이 멎은 것같이 이 눈도 갑자기 멈춰주지 않을까. 그러나 눈의 밀도는 오히려 점점 높아지고 있다. 회백색 허공에서 한계 없이 눈송이들이 생겨나고 있는 것 같다.

하나의 눈송이가 태어나려면 극미세한 먼지나 재의 입자가 필요하다고 어린 시절 나는 읽었다. 구름은 물분자들로만 이뤄져 있지 않다고, 수증기를 타고 지상에서 올라온 먼지와 재의 입자들로 가득하다고 했다. 두 개의 물분자가 구름 속에서 결속해 눈의 첫 결정을 이룰 때, 그 먼지나 재의 입자가 눈송이의 핵이 된다. 분자식에 따라 여섯 개의 가지를 가진 결정은 낙하하며 만나는 다른 결정들과 계속해서 결속한다. 구름과 땅 사이의 거리가 무한하다면 눈송이의 크기도 무한해질 테지만, 낙하 시간은 한 시간을 넘기지 못한다. 수많은 결속으로 생겨난 가지들 사이의 텅 빈 공간 때문에 눈송이는 가볍다. 그 공간으로 소리를 빨아들여 가두어서 실제로 주변을 고요하게 만든다. 가지들이 무한한 방향으로 빛을 반사하기 때문에 어떤 색도 지니지 않고 희게 보인다.

그 설명들 곁에 실려 있던 눈 결정들의 사진을 기억한다. 컬러 도판을 보호하기 위해 얇은 기름종이가 함께 제본된 책이었는데, 그 반투명한 종이를 넘기자 저마다 다른 모양을 한 결정들이 한 면 가득 펼쳐졌다. 그 정교함에 나는 압도되었다. 몇몇 결정들은 정육각형이 아니라 매끈한 직육각기둥의 형상을 하고 있었는데, 눈과 비의 경계에서 그런 형태를 지닌다는 설명이 작은 글씨로 하단에 적혀 있었다. 그후 한동안 진눈깨비가 내릴 때면 그 은빛의 섬세한 육각기둥이 생각났다. 함박눈이 내리는 날엔 짙은 색 코트 소매를 허공에 내밀고서 보풀에 맺힌 눈송이가 물방울이 될 때까지 들여다봤다. 도판에서 본 것 같은 정육각형의 화려한 결정들이 그 안에서 수없이 결속해 있을 거라고 생각하면 어지러웠다. 눈이 지나간 뒤 한동안은 잠에서 깨며 감은 눈으로 생각했다. 밖에 눈이 오고 있을지도 몰라. 바닥에 배를 깔고 엎드려 지루한 방학숙제를 하다 말고 방안에 눈이 내린다고 생각했다. 방금 거스러미를 뜯어낸 손 위로. 머리카락과 지우개 가루가 흩어져 있는 장판 바닥 위로.

이상하지 눈은, 하고 병실 창밖을 향해 중얼거렸을 때 인선이 떠올린 것도 그런 것들이었을까. *어떻게 하늘에서 저런 게 내려오지.* 창 너머의 안 보이는 누군가에게 조용히 항의하는 듯 그녀는 내 얼굴을 보지 않고 물었다. 눈의 아름다움이란 게 받아들이기

어려운 일이기라도 한 것처럼. 오래전 세밑의 밤에도 그렇게 낮은 목소리로 말했던 것같이.

이렇게 눈이 내리면 생각나. 그 학교 운동장을 저녁까지 헤매 다녔다는 여자애가.

흰 털실로 뜬 모자를 쓴 것처럼 그녀의 머리에 눈이 쌓여 있었다. 파카 호주머니에 찔러넣은 내 두 손은 딱딱하게 얼어 있었다. 우리가 눈 위로 발자국을 남길 때마다 소금 부스러지는 소리가 났다. *눈만 오민 내가, 그 생각이 남저. 생각을 안 하젠 해도 자꾸만 생각이 남서.*

*

정거장에 다다른 순간 나는 흠칫 놀란다.

아무도 없다고 생각했는데, 적게 잡아도 팔십 세는 되어 보이는 할머니가 굽은 허리로 지팡이를 짚고 서 있다. 하얗게 센 짧은 머리에 연회색 털모자를 썼고, 같은 색 긴 누비 외투를 걸치고 고동색 털을 덧댄 고무신을 신었다. 체머리 떠는 고개를 비스듬히 기울인 채 노인은 내가 다가오는 모습을 건너다보고 있다. 내가 묵례를 건네도 물끄러미 바라보기만 한다. 못 보았나 싶어 다시 인사하자, 두상이 작고 주름진 얼굴에 희미한 미소가 어리는 듯하다 사라진다.

그의 모습이 눈에 띄지 않았던 건 눈 쌓인 나무들 아래 서 있었기 때문인 것 같다. 연한 색 털모자와 외투가 보호색이 된 거다. 이상한 일이다. 한 시간여 동안 해안도로를 달리며 지나쳐온 어떤 나무들에도 저렇게 눈이 쌓여 있지 않았다. 한 점의 눈도 내려앉을 겨를 없이 강풍이 쓸어가버려서다. 눈의 밀도가 압도적으로 높기 때문에, 바람이 멎은 뒤 얼마 되지 않았어도 나무들을 덮을 수 있었던 걸까.

노인의 눈길이 가닿아 있는 텅 빈 네거리를 나는 돌아본다. 나란히 서서 그의 옆얼굴을 살피자 그도 천천히 내 쪽으로 고개를 돌린다. 무미무취한 눈길이 내 눈을 잠시 마주본다. 다정하지도 무심하지도 냉정하지도 않은, 어렴풋이 따스한 쪽으로 기울어 있는 것도 같은 눈길이다. 어쩐지 인선의 어머니를 떠올리게 하는 할머니라고 나는 생각한다. 작은 체구와 오밀조밀한 이목구비가, 무엇보다 무심함과 미묘한 따스함의 조합이 닮아 있다.

말을 건네도 될까.

인선이었다면 어렵지 않게 대화를 시작했을 것이다. 함께 출장 여행을 다니던 첫해 우리는 명산들과 그 아랫마을의 풍광을 취재하는 꼭지를 맡았는데, 어느 곳에서든 인선은 할머니들과 금세 친해졌다. 스스럼없이 길을 묻고, 선선히 음식을 나누고, 하룻밤 민박할 집을 수소문해 구했다. 비결을 물었을 때 그녀는 대답했다.

할머니 같은 엄마가 키워서 그런지도 모르지.

그러고 보면 그녀가 만든 영화들도 대부분 할머니로 불리는 연배의 여성들을 다룬 것이었다. 그들의 인터뷰가 특별히 내밀했던 데에는 인선의 친화력이 영향을 주었을 거라고 나는 짐작해왔다. 그들이 말을 잇다 말고 카메라를 응시하며 침묵할 때, 인선의 솔직하고 선선한 얼굴이 힘을 다해 그들을 마주보고 있었을 거라고.

베트남의 밀림 속 외딴 마을에 홀로 살던 노인에게 현지 안내인이 인선의 질문을 통역하던 장면에서도 나는 그렇게 화면에 없는 인선의 얼굴을 생각하고 있었다.

그날 밤에 대해 당신이 해주고 싶은 이야기가 있는지 이 사람이 묻습니다.

다소 딱딱하게 번역된 그 한국어 자막 위로, 희끗하게 센 짧은 머리를 귀 뒤로 넘긴 할머니가 카메라 너머를 응시하고 있었다. 작고 마른 얼굴에 눈매가 유난히 영민한 사람이었다.

그걸 당신에게 물으려고 이 사람이 한국에서 왔습니다.

마침내 노인이 입술을 떼었다. 통역자에게는 눈길 한 번 주지 않으며, 놀라운 집중력으로 오직 카메라만을 응시한 채 대답했다.

좋아. 내가 이야기해줄게.

카메라 렌즈를 꿰뚫고, 그 뒤에 서 있었을 인선의 눈까지 관통해 날아온 그 눈의 빛이 내 눈을 찔렀다. 오랜 시간 그 만남을 기다려온 사람의 대답이라고 그 순간 나는 생각했다. 그 짧은 승낙의 말에 그의 인생 전부가 들어 있다고.

*

노인의 털모자에 점점 더 두텁게 눈이 쌓인다. 그의 눈길이 향한 네거리 교차로는 여전히 고요하다. 움직이고 있는 것은 떨어져 내리는 함박눈뿐이다.

용기를 내어 나는 그를 부른다.

삼춘.

이 섬에서는 손윗사람을 삼촌이라고 불러야 한다고 인선은 나에게 말해줬다.

아저씨 아주머니, 할머니 할아버지, 이렇게 부르는 사람은 외지인밖에 없어. 삼춘이라고 일단 부르면, 설령 그다음에 제주 말을 못한다 해도 섬에서 오래 산 사람인가 싶어 경계를 덜 하게 되지.

오래 기다리셨어요?

노인이 무연한 눈길을 돌려 나를 바라본다.

버스 올 때가 다 되었어요?

두 손을 가지런히 모아 지팡이를 짚고 있던 그가 한 손을 천천히 들어올린다. 자신의 귀를 가리키며 눈을 빛낸다. 체머리를 떨며 고개를 젓는 노인의 얼굴에 엷은 미소가 어린다. 열릴 것 같지 않던 얇은 입술이 마침내 열린다.

이영 눈이 하영 와부난……

계속해서 체머리를 떨며, 그 이상 나와 말을 섞지 않을 거라는 사실을 분명히 하듯 노인이 나에게서 고개를 돌린다. 버스가 올 방향을 향해 먼 시선을 던진다.

*

인선의 어머니와 정말 닮았다고, 어째서인지 가슴 한편이 내려앉는 것을 느끼며 나는 생각한다.

잘 놀다 가세요.

이 할머니와 비슷하게 조심스러운 태도로, 한 가지 다른 점이라면 방언 대신 또렷한 서울말로 인선의 어머니는 나에게 말했다. 어떤 기쁨과 상대의 호의에도 마음을 놓지 않으며, 다음 순간 끔찍한 불운이 닥친다 해도 감당할 각오가 몸에 밴 듯한, 오래 고통에 단련된 사람들이 특유하게 갖는 침통한 침착성으로.

그때 인선의 어머니는 내가 누구라고 생각했던 걸까? 당신에게 딸이 있다는 사실을 자주 잊는다고 인선은 그날 밤 나에게 말해주었다. 인선을 언니로 생각하며 이따금 어리광을 부린다고 했으니, 나를 언니의 친구나 지인으로 여겼을지 모른다. 그렇다면 내가 쓰는 서울말이 혼란을 주었을 것이다. 인선의 어머니는 나를 향해 미소를 지었고, 주름진 눈꺼풀이 거의 닫히며 눈동자의 빛이 흐려졌다. 그가 두 손을 내밀어 내 손을 잡으려 해서 나도 두 손을 내밀었다. 네 개의 손을 겹겹이 맞잡은 채 우리는 서로를 마주보았다. 내가 누구인지 알고 싶은 듯, 호기심과 의심이 뒤섞인 눈으로 그는 내 얼굴을 곰곰이 살피고 있었다. 마침내 먼저 손을 놓으며 다시 부드럽게 미소 짓는 그에게 내가 머리 숙여 인사하고 나왔을 때 인선은 가스레인지 앞에 서 있었다.

뭘 끓여?

내 물음에 인선은 대답했다.

콩죽.

뒤를 돌아보지 않은 채였다.

반반 갈았어. 검은콩이랑 흰콩이랑.

인선이 긴 나무 주걱으로 커다란 냄비 속을 젓기 시작했다. 내가 다가가 옆에 서자 그제야 얼굴을 돌려 나를 보았다.

단백질을 드셔야 하는데, 다른 건 소화를 못 시키시니까 콩죽을 드려.

서리태야?

아니, 쥐눈이콩.

이게 몇 끼 분량이야?

보통은 그때그때 조금씩 끓이는데 오늘은 너도 왔으니까 좀 많이 넣었지.

좋다, 나는 말했다.

그러잖아도 속이 안 좋았는데.

여독 때문인지 실제로 위가 아팠다. 그럴 때면 늘 따라오는 두통의 기미도 있었다.

저런.

인선이 이마를 살짝 찌푸렸다.

무리해서 왔구나.

나는 고개를 흔들었다.

아니야.

진작부터 와보고 싶었어, 라고 덧붙여 말하고 싶었지만 어쩐지 어색해져서 그만두었다. 인선이 끈기 있게 주걱으로 저어가는 동안 차츰 걸쭉해지는 거무스름한 죽을 지켜보고만 있었다.

냄새가 고소하네.

맛은 더 좋아.

자신 있는 미소를 지으며 인선이 가스레인지의 불을 껐다.

여기 담을 거야?

내가 선반의 대접을 가리키자 그녀가 고개를 끄덕였다. 그걸 목쟁반에 놓고 그녀 쪽으로 내밀자 인선이 국자로 죽을 덜었다. 그렇게 나란히 싱크대 앞에 서 있으니 손발이 맞는 자매가 된 것 같았다.

이렇게 많이 드셔?

입맛을 쉽게 잃지 않는 사람은 오래 산대. 엄만 오래 사실 거야.

인선이 두 손으로 쟁반을 받쳐들고 어머니가 계신 안방으로 걸어갔다. 나는 얼른 그녀를 앞질러가서 방문을 열었다. 방에 들어간 인선이 손을 뒤로 뻗어 문을 닫자 나는 혼자 남았다. 하릴없이 서성이다가, 곱게 기름이 먹여진 삼나무 식탁의 상판을 행주로 훔치고 수저 두 벌을 마주보게 놓았다. 우리 몫의 대접 두 개에 콩죽을 덜어 식탁으로 옮겼다. 의자를 끌어당겨 앉아 김이 피어오르는 죽그릇을 들여다봤다.

김이 거의 잦아들었을 때에야 인선은 빈 대접이 담긴 쟁반을 들고 나왔다. 나와 눈이 마주치자 싱긋 웃었다.

왜 웃어?

그러고 있는 거 보니까 생각나서.

무슨 생각?

쟁반을 싱크대에 올려놓은 인선이 식탁 맞은편에 앉았다.

전에 내가 너한테 이야기했었지, 고2 때 가출했던 거.

그랬지.

퇴원해서 집에 돌아왔을 때, 엄마가 내 손 붙잡고 밤새 이런저런 이야길 했다고 했잖아.

기억나니, 라고 묻는 듯 인선이 잠시 말을 끊고 나를 건너다보았다.

물론 기억하고 있었다. 그 이야기를 들었던 밤 막연히 상상했던 그녀의 어머니와, 좀전에 처음 인사드린 조그만 할머니의 모습이 잘 연결되지 않았을 뿐이다. 이불 속에서 꺼내서였는지 따스했던 손의 감촉이 아직 내 손에 남아 있었다. 네 개의 손이 서로를 맞잡았는데도 그는 나를 온전히 믿고 있지 않았다. 안심시킬 방법이 있지 않았을까, 김이 피어오르는 죽그릇을 들여다보는 동안 나는 생각하고 있었다. 육지 말을 쓰는 낯선 내가 친언니의 무해한 친구라고 믿게 하기 위해, 자연스럽게 말하고 행동해야 했을 어떤 방법이 있지 않았을까.

그때 너한테 안 했던 이야기 중에 좀 재밌는 게 있어.

인선의 얼굴에 여전히 미소가 어려 있었다.

내가 무연고 환자로 입원해 있었을 때, 엄마가 이 집에서 나를 보셨대.

그게 무슨 말이야?

얼른 이해되지 않아 나는 물었다.

병원에서 엄마한테 연락이 간 건 내가 의식이 돌아와서 이름을 말한 직후였을 거 아냐. 그런데 바로 그 전날에 내가 먼저 여길 다녀갔대.

잠시 입을 다물고 있다가 나는 물었다.

그러니까, 꿈에?

불쑥 터뜨려지려는 웃음을 참는 듯 인선의 뺨이 잠시 부풀었다.

자정쯤 됐을 때 엄마가 마루로 나와 불을 켰는데, 내가 밥상 앞에 가만히 앉아 있더래.

멍하게 나는 대꾸했다.

꼭 생시 같은 꿈이 있으니까.

열흘이나 딸 행방을 모르던 때니까, 일시적인 섬망 같은 거였는지도 모르지.

그래서, 무슨 일이 있었대?

죽을 줬대.

누가?

엄마가 나한테.

혼이 죽을 먹어?

우리는 동시에 웃음을 터뜨렸다.

엄마도 같은 생각을 했대. 흰죽을 끓여서 주시면서, 한 숟가락만 먹어줬으면 하고 속으로 빌었대. 뜨거운 걸 먹을 수 있다면 죽은 사람이 아닐 테니까. 그런데 내가 아무 말 없이 죽을 들여다보고만 있더래. 꼭 지금 너같이. 너무 허기지고 지쳐서 숟가락 들 힘도 없는 듯이.

나는 그녀의 말을 부인했다.

그렇게 내가 배고프고 지친 건 아니야.

인선이 먼저 숟가락을 들었다. 나도 뒤따라 한술을 떠서 입에 넣었다. 방금 아니라고 말했지만, 따뜻하고 고소한 죽이 입안에 퍼지는 순간 맹렬한 허기가 느껴졌다.

맛있다.

나도 모르게 중얼거리자 인선이 예의 자신 있는 어조로 말했다.

더 줄게. 많이 끓였어.

아무 말 없이 절반 넘게 먹다 고개를 들자, 인선은 정말 맏언니라도 되는 듯 잔잔한 얼굴로 나를 건너다보고 있었다. 어쩐지 멋쩍어져서 나는 물었다.

그래서, 결국 먹었대?

뭘?

인선은 되물었고, 내가 대답하기 전에 곧 이야기를 기억해내곤 고개를 저었다.

안 먹었대.

인선이 의자를 뒤로 밀고 일어섰다. 냉장고 문을 열고 허리를 구부려 김치통을 꺼내며 말했다.

먹고 싶어서 못 견디는 아이같이 죽그릇에서 눈을 못 떼고만 있더래. 하도 간절한 기세여서, 정말 죽어서 온 귀신은 아닐지도 모른다는 생각이 드셨다나.

접시에 김치를 덜어 식탁에 올려놓는 인선의 얼굴이 서울에서보다 평온해져 있다고 나는 그때 생각했다. 인내와 체념, 슬픔과 불완전한 화해, 강인함과 쓸쓸함은 때로 비슷해 보인다. 어떤 사람의 얼굴과 몸짓에서 그 감정들을 구별하는 건 어렵다고, 어쩌면 당사자도 그것들을 정확히 분리해내지 못할지도 모른다고 생각했다.

그 겨울에 엄마는 그 이야기를 자주 했어. 한동안은 거의 식사

때마다 말했던 것 같아. 이 가시내, 죽 먹젠 그날 밤에 어멍한테 왔주, 죽 한 그릇 얻어먹엉 살아나젠 허멍.

*

노인이 바라보고 있는 네거리 신호등에 붉은색과 주황색, 녹색 신호가 교차될 때마다 불빛 앞으로 떨어지는 눈송이들이 다르게 물든다. 그사이 지나간 버스는 양쪽 방향으로 운행되는 해안 일주 버스 넉 대뿐이다. 버스가 멈추는 소리가 들리지 않은 것으로 미루어 아무도 이곳에 내리지 않았고 타지도 않았다.

어떻게 이렇게 고요할까.

한 시간여 동안 해안도로를 달리며 보았던 바다는 금방이라도 섬을 집어삼킬 듯 거대한 몸을 뒤척이고 있었다. 흰 포말을 몰고 사방에서 전진해온 파도들이 방파제에 부딪혀 솟구쳤다.

그런 바람이 이렇게 멎을 수도 있나.

눈의 속력은 이제 더 느려졌다. 속력에 반비례하는 듯 눈송이들은 더 커지고 촘촘해졌다. 장갑을 벗고 속눈썹에 내려앉은 눈을 손바닥으로 문질러 닦을 때마다 눈언저리가 젖는다. 시야에 잡히는 모든 것이 어른어른 번져 보인다. 허리를 굽혀 운동화 위로 쌓인 눈을 털어내자 목이 짧은 양말 속으로 차고 축축한 눈송이들이 스며

들어온다.

기온이 조금만 더 높았다면 폭우로 퍼부었을 밀도의 눈이다. 십여 년 전 인선이 베트남 내륙의 밀림에서 촬영했던, 자비 없이 열대의 나무들을 부러뜨리던 비처럼.

베트남에서 돌아온 인선이 종일 집에 틀어박혀 편집 작업을 하던 그해 8월, 잠시 얼굴을 보러 그녀의 집을 찾았을 때 그 폭우의 장면을 처음 보았다. 모니터 앞에 인선과 나란히 앉아 보는 동안 창밖에서도 뇌성이 울리고 소나기가 쏟아졌기 때문에, 어디까지 베트남 밀림의 비이고 어디부터 서울의 골목에 내리는 빗소리인지 구별할 수 없었다. 이국의 낯선 꽃들과 열대 나무들의 두꺼운 잎사귀들이 흔들리며 빗줄기들을 튕겨냈다. 새로 생긴 혼탁한 물길이 강물처럼 마을 가운데를 가로질렀다. 허벅지까지 바짓단을 걷어올린 여자들이 흙탕물에 잠긴 마당을 건너가 닭장 문을 열고 닭과 병아리들을 짚바구니에 담아 구했다. 십여 분에 걸쳐 롱테이크로 찍은 그 장면이 끝났을 때, 압도되어 말을 잃은 나에게 인선은 열대의 더위에 대해 이야기해주었다.

섭씨 사십 도가 임계점 같았어. 숙소를 나오다 보면 수백 마리 나방이 흙벽에 새카맣게 붙어서 더위를 피할 때가 있는데, 그런 날이면 사십 도를 넘어가더라고. 그럴 땐 출몰하는 곤충의 종류도 달라졌어. 크고 화려하고, 맹독이 있다는 걸 본능적으로 느끼게 하는 낯선 벌레들이 이글거리는 땅 위를 기어다녔어. 그러다 비가 내리면, 거대한 양동이로 퍼붓는 것같이 끝없이 쏟아졌어. 이건 그중에서도 특별한 폭우였어. 이틀 밤낮을 쉬지 않고 내렸으니까.

가편집을 마친 인선이 가까운 지인들을 불러모아 예비 시사를 한 영화에서 그 폭우의 장면은 '좋아. 내가 이야기해줄게'라고 대답했던 노인의 일상 다음에 배치되어 있었다. 노인이 차를 끓일 주전자를 씻으러 마당으로 나갔다. 펌프질을 해 파이프에서 물이 흐르게 한 다음 두 번, 세 번 주전자의 안과 겉을 헹궈냈다. *그 밤에 군인들이 왔지.* 네번째로 주전자를 씻기 시작했을 때 노인의 낮은 음성이 자막과 함께 화면으로 들어왔다. 증언이 채 끝나기 전에 폭우의 장면이 시작됐다. 풀을 이어 매놓은 마을의 지붕들 위로 비가 쏟아졌다. 노인의 마당에 서 있던 황동 펌프가 비를 튕겨내며 빛났다. 빽빽이 우거진 야생 자스민 울타리가 흔들렸다. 닭들과 병아리들이 날개를 퍼덕이는 닭장 속으로 흙물이 차올랐다. 흠뻑 젖은 무명 바지를 접어올린 여자들이 짚바구니를 이고 빗물이 일렁이는 마당을 가로질렀다. 바구니에 막 옮겨 담긴 병아리들의 정수리가 젖은 털실 공들처럼 흔들거렸다.

*

장갑 낀 손등에 방금 내려앉았다가 녹은 눈송이가 거의 완전한 정육각형의 형상을 하고 있었다. 뒤이어 그 곁에 내려앉은 눈송이는 삼분의 일쯤 떨어져나갔지만, 남은 부분은 네 개의 섬세한 가지들을 본래 모습대로 지니고 있었다. 부슬부슬한 그 가지들이 가장 먼저 사라진다. 소금 알갱이같이 작고 흰 중심이 잠시 남아 있다가 물방울이 되어 맺힌다.

눈처럼 가볍다고 사람들은 말한다. 그러나 눈에도 무게가 있다, 이 물방울만큼.

새처럼 가볍다고도 말한다. 하지만 그것들에게도 무게가 있다.

오른쪽 어깨 위, 스웨터 올 사이로 가칠가칠했던 아마의 두 발이 떠오른다. 내 왼손 집게손가락을 횃대 삼아 앉아 있던 아미의 가슴털은 따스하고 부드러웠다. 이상하다, 살아 있는 것과 닿았던 감각은. 불에 데었던 것도, 상처를 입은 것도 아닌데 살갗에서 지워지지 않는다. 그전까지 내가 닿아보았던 어떤 생명체도 그들만큼 가볍지 않았다.

어떻게 이렇게 가벼운 거야, 내가 물었을 때 인선은 자신도 알 수 없다는 듯 고개를 저었다. 무게를 줄이기 위해 새들의 뼈에는 구멍들이 뚫려 있다고, 장기 중에 제일 큰 건 풍선처럼 생긴 기낭氣囊이라고 그녀는 말했다.

새들이 조금 먹는 건 위가 정말 작아서 그런 거야. 피도 체액도 아주 조금뿐이어서, 약간만 피를 흘리거나 목이 말라도 생명이 위험해진대. 가스 불꽃에서 나오는 약간의 유해물질도 혈액 전체를 오염시킬 수 있다고 해서 전기레인지로 바꿨어.

새들이 정말 자신의 말을 알아들을 거라고 믿는 것처럼 인선은 목소리를 낮췄다.

사실 후회한 적도 있어. 고양이나 개를 길렀다면 이 정도로 조심스럽진 않았을 텐데.

순간 내 어깨와 손가락에서 새들이 동시에 날아올랐다. 잠시 허공에서 날개를 퍼덕이는가 싶더니 아마는 인선의 어깨에, 아미는 마당 쪽으로 난 창틀 위에 내려앉았다. 녀석들이 날아오르기 직전 제 몸을 밀면서 거품처럼 내 살갗에 남겨놓은 감각을 느끼며 나는 물었다.

몇 그램 정도일까?

어깨에 앉은 새에게 눈을 맞추며 인선이 대답했다.

글쎄, 이십 그램쯤 될걸.

왜 그때 내 눈앞에 발생 초기 태아의 형상이 떠올랐는지 모른다. 심장박동이 감지될 무렵의 몸무게가 그 정도라고 오래전에 들었다. 그 시기, 알에 담긴 듯 동그랗게 웅크린 태아의 형상은 새끼 새와 구별할 수 없을 만큼 비슷해 보였다.

다음날 아침 공항까지 트럭으로 배웅해준 인선의 환대 속에 서울로 올라온 뒤, 잠들 수 없는 밤이면 이따금 인터넷에 접속해 새들에 관한 자료를 찾았다. 새들은 현재까지 생존해 있는 공룡이라는 과학잡지의 기사도 그 무렵 읽었다. 거대한 소행성과의 충돌로 지구의 표면이 불타며 끓어오를 때, 대기층을 덮어 지상의 거의 모든 동물들은 물론 식물들까지 절멸시킨 화산재 속에서 몇 달을 날아 버틴 생명체가 깃털 공룡—새들이라는 것이었다. 현존하는 거의 모든 새들의 사진과 학명을 정리한 사이트도 비슷한 시기에 발견했다. 다시 기억하지 못할 학명들을 뜻 없이 소리 내어 읽다보면 더디나마 시간이 흘러가주었다. 그러던 어느 밤 우연히 찾아낸, 간명한 선으로 그린 새의 단면도는 특별히 아름다워 이미지를 저장해두었다. 몸 가운데 정말 풍선 같은 기낭이 있었고, 뼈들에는 타원형의 구멍들이 피리처럼 뚫려 있었다. *그래서 그렇게 가벼웠던 거야.* 스웨터 올 사이로 느껴졌던 가칠가칠한 발을 기억하며 어둠 속에서 나는 중얼거렸다.

*

유난히 커다란 눈송이가 내 손등에 내려앉는다. 구름에서부터 천 미터 이상의 거리를 떨어져내린 눈이다. 그사이 얼마나 여러 차례 결속했기에 이렇게 커졌을까? 그런데도 이토록 가벼울까. 이십 그램의 눈송이가 존재한다면 얼마나 커다랗게 펼쳐진 형상일까.

석상처럼 꼼짝도 하지 않으며 두 손으로 지팡이를 짚고 있는 노인의 옆얼굴을 나는 살핀다. 대체 얼마나 오래 이렇게 서서 기다리고 있는 걸까. 지팡이를 짚은 맨손이 시리지 않을까. 시간이 거의 흐르지 않는 것 같다. 모든 가게들이 문을 닫은 이 적막한 읍에서, 살아서 숨을 쉬는 것은 이 정거장에 서 있는 두 사람뿐인 것 같다. 문득 손을 뻗어 노인의 흰 눈썹에 맺힌 눈송이를 닦아내주고 싶은 충동을 나는 억누른다. 내 손이 닿는 순간 그의 얼굴과 몸이 눈 속에 흩어져 사라져버릴 것 같은 이상한 두려움을 느낀다.

*

건강해 보여도 방심할 수 없어.

아무리 아파도 새들은 아무렇지 않은 척 횃대에 앉아 있대. 포식자들에게 표적이 되지 않으려고 본능적으로 견디는 거야. 그러다 횃대에서 떨어지면 이미 늦은 거래.

근심스런 표정으로 말하는 인선의 어깨에 아마가 앉아 있었다. 흰 새의 얼굴은 나를 향하고 있었지만 나를 보고 있진 않을 거였다. 한쪽 눈으로는 인선과 눈을 맞추고, 다른 쪽 눈으로는 벽에 드리워진 자신의 그림자를 보고 있었을 거다. 어깨에 새가 앉은 인선의 그림자가 실물의 두 배 가까이 커져 있는 게 재미있어서, 나는 가방 속 필통에서 연필을 꺼내들고 벽으로 다가갔다.

마음에 안 들면 이따가 지우개로 지워줄게.

흰 벽지 위에 그림자의 윤곽선을 따라 거인 같은 그녀의 머리와 어깨, 커다란 검은 새의 형상을 낮은 필압으로 그리는 동안, 선이 흐트러지지 않도록 인선은 가만히 있어주었다. 창틀에 있던 아미가 푸드덕 소리를 내며 날아올라 갓등 위로 옮겨 앉았다. 광원이 흔들리자 그림자들도 따라 흔들렸다. 갓등이 멈추자 그림자도 감쪽같이 윤곽선 안으로 되돌아왔다.

아니, 아니.

탄식하듯 낮은 소리로 아미가 갓등 위에서 말했다. 주인이 무심코 반복한 말을 배운 것 같았다. 어떤 상황에서 인선은 저렇게 말하곤 했던 걸까?

여전히 어깨에 앉아 있는 아마의 머리를 쓰다듬으며 인선이 말했다.

이제 잘 시간이다, 너희.

약속된 신호인 듯 인선이 노래를 시작했다. 처음 듣는데 어딘가 친숙한 멜로디의 자장가였다. 뜻 모를 방언들로 이뤄진 첫 소절이 끝나기 직전에 아마가 같은 소절을 허밍하기 시작해 엇박자 돌림노래가 되었다. 경이롭게 고요한, 동시에 미묘하게 어긋나는 화음이 끊어질 듯 말 듯 이어졌다. 귀를 기울이는 듯 꼼짝 않고 갓등 위에 앉은 아미의 얼굴이 나를 향하고 있었다. 그의 한쪽 눈은 벽에서 움직이는 인선과 아마의 그림자를, 다른 쪽 눈은 유리창 밖 마당에서 저녁 빛을 받으며 흔들리는 나무를 보고 있었을 것이다. 그렇게 두 개의 시야로 살아간다는 건 어떤 건지 나는 알고 싶었다. 저 엇박자 돌림노래 같은 것, 꿈꾸는 동시에 생시를 사는 것 같은 걸까.

*

안구 안쪽에서 시작해 목덜미를 지나 딱딱한 어깨와 위장으로 연결되는 통각의 선이 작동되기 시작한다. 껌은 이미 단물이 빠져 버스에서 뱉었다. 다시 껌을 꺼내 씹는다고 나아질 것 같지 않다.

나는 장갑을 벗는다. 두 손바닥을 문질러 약간의 열기를 낸 뒤 감은 눈꺼풀과 안와를 문지른다. 무릎을 구부리고 앉았다가 일어서본다. 어깨와 목을 돌려본다. 허리를 곧게 펴고 심호흡을 한다. 세 걸음씩 앞과 뒤로 걸었다가 노인의 곁으로 돌아오길 반복한다. 가능한 한 빨리 뜨거운 물에 몸을 담근다면 위경련을 피할 수 있을지도 모른다. 더운 죽을 먹고 따뜻한 곳에서 몸을 펴고 이완할 수 있다면.

인선이 지금 서울의 병원이 아니라 집에 있다면, 나는 생각한다. 내 전화에 깜짝 놀라 트럭을 몰고 마중나온다면. 조수석에 앉아 눈언저리를 문지르는 나에게 말한다면. *너 전에 콩죽 먹고 나*

은 *적 있지. 가서 콩죽 먹자.* 예의 자신 있는 미소가 눈가에 어린다면.

*

네거리 신호등의 불빛이 더 밝아 보인다. 그 불빛 앞으로 떨어지는 눈송이들에 더 선명한 색채가 번진다. 날이 저무는 것이다.

버스는 결국 오지 않는 것 같다.

설령 지금 온다 해도 인선의 마을에 도착할 때쯤엔 어두워져 길을 찾기 어려울 거다.

일주버스를 타고 서귀포로 가 숙소를 찾아야 할 시간이다. 일요일에 문을 연 약국이 있다면 임시 처방으로 타이레놀을 살 수 있을 거다. 약이 듣지 않으면 내일 오전 내과를 찾아가, 유일하게 듣는 종류의 편두통 약을 운좋게 처방받을 수 있을지도 모른다.

그전에 전화를 해야지.

나도 모르게 소리 내어 중얼거리자 입김이 눈발 사이로 번진다. 아니, 문자를 보내야 한다. 인선은 전화를 받기 어려우니까. 진동이 울리는 순간에도 바늘이 환부에 찔러넣어지고 있을지 모르니까.

안구 안쪽으로 파고드는 통증이 점점 날카로워진다. 소용없을 줄 알면서 나는 호주머니에서 껌을 꺼낸다. 정방형의 껌 두 개를 태블릿에서 꺼내 한 번에 씹다가, 오히려 구역질이 날 것 같아 도로 뱉는다. 호주머니에 들어 있던, 비행기에서 물 한 잔과 함께 받았던 재생지 냅킨에 싸서 움켜쥐자 끈끈한 물이 배어나온다.

아니, 전화를 해야 한다고 나는 고쳐 생각한다. 문자를 입력하기 위해 자세를 만드는 게 인선에겐 오히려 더 어려울 거다. 통화하기 어려운 상황이면 간병인이 휴대폰을 인선의 귀에 대줄 거다. 인선이 성대를 울리지 않고 속삭일 말을, 이런 고요 속에서라면 한마디도 안 놓치고 들을 수 있다.

포기하겠다고 그녀에게 말해야 한다. 폭설이 내리고 있고 몸이 아프다고 말할 것이다. 내 편두통이 불시에 찾아온다는 걸 인선은 안다. 뒤따라오는 위경련이 길게는 며칠 동안 일상을 마비시킨다는 것도 안다. 더구나 이 섬의 폭설과 교통 상황에 대해서는 나보다 익숙하게 알고 있을 거다.

*

다섯번째 연결음이 지나갔을 때 나는 종료 버튼을 누른다. 일분쯤 지난 뒤 다시 통화 버튼을 누른다. 교체할 시기가 지난 기기라서, 배터리 잔량을 표시하는 막대가 그사이 한 칸으로 줄어들어 있다.

마침내 연결되었다. 인선아, 하고 부르는 동시에 나는 귀를 세운다. 인선의 속삭임 대신 다급한 여자 목소리가 들린다.

이따 전화하세요, 이따가.

삽시간에 통화가 끊긴 액정 화면을 나는 멍하게 들여다본다. 간병인의 음성이었던 것 같다. 그 병실의 것이 아닌 듯한 소란이 다급한 목소리를 에워싸고 있었다.

무슨 상황인 건지 짐작 가지 않는다. 배터리 잔량이 십여 퍼센트밖에 남지 않았다. 다시 제대로 전화하려면 충전을 해야 한다. 서귀포로 가야 한다.

나도 모르게 힘껏 움켜쥐고 있던 휴대폰을 주머니에 넣으며 나는 노인의 옆얼굴을 본다. 버스가 이미 운행을 멈춘 거라면 지금 여길 떠나기 전에 이 할머니에게 알려야 하는 것 아닐까? 소리를 듣지 못하고 지팡이에 의지하는 그에게 도움이 필요한 것 아닌가.

내 시선을 느끼지 못한 듯 노인은 여전히 미동도 하지 않은 채 교차로를 향해 먼 시선을 던지고 있다. 말을 걸기 위해선 그의 몸을 건드려야만 한다. 손을 뻗어 그의 어깨에 막 닿으려는 순간 노인의 얼굴에 동요가 스친다. 새로운 빛이 어린 그의 시선이 끈질기게 향한 곳에서, 두툼한 눈을 천장에 인 작은 지선버스가 거짓말처럼 교차로를 돌고 있다.

*

엔진음과 함께 버스가 다가온다. 둔한 잔향을 눈송이들이 빨아들인다. 백묵 끝으로 흑판을 긁는 것 같은 소리를 내며 버스가 멈춰 선다. 그 잔향도 눈의 정적 속으로 삼켜진다.

앞문이 열린다. 히터가 틀어진 차내의 축축한 공기가 밀려나와 코끝에 닿는다. 면장갑 낀 손으로 변속기 레버를 쥔 운전기사가 노인에게 묻는다.

오래 기다렸수꽈?

뿔테안경을 끼고 감색 유니폼을 입은 사십대 초반의 남자다.

산 우에 눈 묻엉 버스 두 대가 빠져비수다. 얼어나신디 여태 기다렸수꽈?

나에게 그렇게 했던 것처럼 대답 없이 귀를 가리키며 고개를 끄덕이는 노인의 옆얼굴을 나는 본다. 지팡이를 짚어가며 천천히 계단을 오르는 그를 뒤따라 홀린 듯 버스에 오른다. 아무도 태워오지 않은 텅 빈 버스다.

세천리 가나요?

교통카드를 찍기 전에 나는 묻는다.

네, 갑니다.

깍듯한 서울말로 바뀐 기사의 어조에서 좀전과 다른 거리감이 느껴진다.

세천리에서 말씀해주시겠어요?

세천리 어디 말입니까?

기사가 되묻는다.

세천리에서만 네 번 섭니다. 마을이 아주 커요.

인선의 집에서 가장 가까운 정거장의 이름이 기억나지 않는다. 생소한 어감의 제주어였던 것만 생각난다. 답을 망설이는 사이 기사가 내 얼굴을 살핀다. 두 개의 와이퍼가 끼익, 끽 소리치며 앞유리에 내려앉는 눈송이들을 지우고 있다.

원래는 이 차가 아홉시까지 운행되는데, 오늘은 더이상 안 다닙니다.

내가 얼른 대답하지 않자 기사가 재차 설명한다.

이 버스가 오늘 세천 들어갔다 나오는 막차라고요.

내가 외지 말을 쓰기 때문에, 행색이나 분위기가 미심쩍기 때문에 알려주는 것이다. 고맙다고 나는 대답한다.

정류장 이름은 모르지만 거기 가면 알 수 있을 거예요. 이따가 말씀드릴게요.

스스로 믿지 못하는 말을 하며 나는 교통카드를 찍는다. 버스 안쪽으로 걸어들어가, 구부정한 상체의 무게를 단장으로 버티며 앉아 있는 노인의 뒷좌석에 걸터앉는다. 그의 털모자에 쌓였던 눈이 어느새 녹아 보풀마다 방울져 맺혀 있다.

*

버스 기사에게 내가 한 말이 완전한 거짓은 아니다.

인선의 집에서 가장 가까운 정거장에는—그래봐야 도보로 삼십 분 넘는 거리지만—수령이 오백 년쯤 되어 보이는 커다란 팽나무가 서 있다. 음료수와 담배를 파는 작은 점방의 위치도 기억한다. 칠흑같이 어두워지지만 않는다면, 박명이 조금이라도 남아 있다면 그렇게 큰 나무를 못 보고 지나칠 순 없을 거다.

그러니까 지금 인선에게 무슨 일이 일어나고 있든, 내가 선택할 수 있는 최선의 길은 그녀의 집으로 가는 거다. 거기서 휴대폰을 충전해 그녀에게 전화하는 거다. 그녀가 가장 원할 방법이기도 하다.

운이 좋구나, 나는 생각한다. 마지막 비행기편으로 섬으로 들어왔고, 인선의 마을로 데려다줄 마지막 지선버스에 방금 올라탔다. 비행기에서 들었던 연인들의 대화가 떠오른다. *이게 운좋은 거냐. 날씨가 야, 이래가지고.*

이 좋은 운을 타고 어떤 위험 속으로 떨어지고 있는 건가?

무딘 칼로 안구 안쪽을 도려내는 것 같은 통증을 견디며 나는 차가운 차창에 머리를 기댄다. 언제나 그렇듯 통증은 나를 고립시킨다. 다른 누구도 아닌 내 몸이 시시각각 만들어내는 고문의 순간들 속에 나는 갇힌다. 통증이 시작되기 전까지의 시간으로부터,

아프지 않은 사람들의 세계로부터 떨어져나온다.

지금, 따뜻한 곳에 몸을 눕힐 수 있다면.

지난해 가을 인선이 내주었던 안방을 나는 떠올린다. 마치 방의 주인이 잠시 외출한 것뿐인 듯 이불이 개켜져 있었다. 나를 위해 새로 세탁한 듯 섬유유연제 냄새가 나는, 바싹 말라 쾌적하고 따스한 이불 속에서 놀랄 만큼 깊이 잠들었다가 자정 무렵 눈을 떴다. 불현듯 확인하고 싶어 요를 걷어올리고, 아주 오래된 것으로 짐작되는 녹슨 실톱이 아직 거기 있는 것을 보았다.

*

빠르게 어두워지고 있다. 해안도로에서 보았던 회백색 눈안개와 구름의 덩어리 속으로 버스가 들어선 거다. 어느 사이 도로변에 인가가 사라졌다. 눈 덮인 활엽수들이 끝 간 데 없는 숲을 이루고 있다.

차츰 속력을 줄이던 버스가 멈춰 선다. 앞에 앉아 있던 노인이 일어선다. 할머니는 입을 열어 행선지를 말한 적 없는데 운전기사는 어떻게 그의 목적지를 알고 있었던 걸까. 이곳을 매일 운행하는 버스라서 주민들을 알고 있는 걸까. 여전히 체머리를 떨며, 또각또각 단장을 짚어가며 뒷문까지 걸어간 할머니가 나를 돌아본다. 어렴풋한 웃음이거나 인사인지, 그저 무연한 표정인지 알 수 없는 얼굴로 나를 건너다보다 몸을 돌린다.

이렇게 인적 없는 곳에 사람을 내려줘도 되는 건가. 그러나 잘 살피자 숲 사이로 검은 돌을 이어 쌓은 집담이 보인다. 눈 쌓인 담과 담 사이로 길이 나 있다. 저 소로를 따라 들어가면 마을이 있는 걸까. 노인의 두 발이 눈 덮인 땅으로 완전히 내려서길 기다려 기사가 뒷문을 닫는다. 함박눈을 맞으며 허리를 굽힌 채 걷는 노인의 모습이 차창 너머로 멀어진다. 그가 더이상 보이지 않을 때까지 나는 고개를 꺾고 돌아본다. 이해할 수 없다. 그는 나의 혈육도 지인도 아니다. 잠시 나란히 서 있었을 뿐인 모르는 사람이다. 그런데 왜 작별을 한 것처럼 마음이 흔들리는가?

완경사의 오르막길을 오 분여 동안 더 서행하던 버스가 멈춰 선다. 시동을 끄고 사이드브레이크를 올리며 기사가 나에게 소리쳐 말한다.

체인 감고 가겠습니다.

운전기사가 열고 내려간 앞문으로 바람이 몰아쳐 들어온다. 두통의 강도가 높아질수록 내 마음은 차츰 마비되어, 그 낯선 할머니와 작별한 일이 어느 사이 멀어진다. 불안도, 구해야 할 새에 대한 생각도, 인선에 대한 마음까지도 통증이 예리하게 그어놓은 금 바깥으로 빠져나간다.

더 어두워진 것을, 차 안으로 불어오는 바람이 점점 거세어지고 있는 것을 나는 깨닫는다. 눈보라가 다시 시작되는 것이다. 마치 그 할머니가 P읍의 정거장에 서서 고요를 발하고 있었고, 이제 사라져 그걸 거두어간 것처럼.

숲이 소리치며 흔들리고 있다. 나무들이 이고 있던 눈이 흩날린다. 깨어질 것 같은 이마를 차창에 댄 채 나는 해안도로에서 봤던 눈보라를 생각한다. 먼 수평선 위로 흩어지던 구름을, 수만 마리 새떼처럼 낮게 날던 눈송이들을 생각한다. 섬을 삼킬 듯 흰 포말을 몰고 달려들던 잿빛 바다를 생각한다.

*

아직 선택할 수 있다. 이 버스에서 내리지 않을 수 있다. 저 운전기사와 함께 P읍으로 돌아갈 수 있다. 그곳에서 버스를 갈아타고 서귀포로 갈 수 있다.

허이고, 날씨가 이영 궂어그네……

머리의 눈을 털며 기사가 버스로 올라온다. 운전석에 앉아 안전벨트를 매고 시동을 건다. 헤드라이트를 밝히고, 맹렬한 눈보라 속으로 포복하듯 버스를 몰기 시작한다. 울창한 삼나무 숲 사이로 일차선 도로가 휘어든다. 박명 속에 수천 그루의 높은 나무들이 눈발 속에 흔들려, 마치 내 오랜 꿈속 검은 나무들이 아직 살아 있던 풍경 같다.

5
남은 빛

눈이 떨어진다.

이마와 뺨에.
윗입술에, 인중에.

차갑지 않다.
깃털 같은,
가는 붓끝이 스치는 것 같은 무게뿐이다.

살갗이 얼어붙은 건가.
죽은 사람의 얼굴처럼 눈에 덮이고 있나.

하지만 눈꺼풀들은 식지 않은 것 같다. 거기 맺히는 눈송이들만은 차갑다. 선득한 물방울로 녹아 눈시울에 스민다.

*

턱이 떨린다. 이가 부딪히며 딱, 딱 소리가 난다. 잇새에 혀를 넣으면 베일 것 같다. 젖은 눈꺼풀을 밀어올려 나는 어둠을 본다. 눈을 감았을 때와 똑같은 어둠이다. 보이지 않는 눈송이들이 눈동자로 떨어져 나는 눈을 깜박인다.

후드를 쓴 머리를 옆으로 돌려 모로 누워본다. 팔짱을 깊게 끼고 무릎을 구부려 올린다. 목부터 발까지 관절들을 조금씩 움직여 본다. 뼈가 부러진 것 같지 않다. 허리와 어깨가 아프지만 극심한 통증은 아니다.

*

일어나서 움직여야 한다. 더 체온을 잃으면 안 된다. 하지만 엄두가 나지 않는다. 여기가 어딘지 모른다. 가야 할 방향도 모른다.

휴대폰을 언제 손에서 놓쳤는지 모르겠다. 회청색 박명이 거의 사라졌을 즈음 나타난 첫 갈랫길에서 휴대폰의 랜턴을 켰다. 배터리가 부족해 중요한 선택을 할 때만 사용하려 했는데 그 순간이 온 거다. 분명히 두 갈래 길이었던 것으로 기억하는데, 폭이 다른 세 개의 길이 숲 사이로 희끗하게 드러나 나는 혼란스러웠다. 불빛만 있으면 곧 알아볼 수 있을 거라고 생각했지만, 창백한 빛을 받은 눈 덮인 나무들이 일제히 그림자를 드리워 오히려 더 낯선 장소로 느껴졌다. 그러나 망설일 시간이 없었다. 비교적 좁은 오르막길 대신 완경사로 비탈져 내려가는 넓은 길로 접어들었던 기억에 의지해, 셋 가운데 가장 폭이 넓은 길로 걸음을 내디뎠다. 바닥에 발이 닿지 않는 눈더미 속으로 미끄러져 들어간 건 그 순간이었다.

본능적으로 머리를 두 팔로 감싸쥐었다. 휴대폰은 그때 놓친 것 같다. 비탈을 굴러내려오며 돌과 바위에 계속 머리와 몸을 부딪혔지만 의식을 잃지 않았다. 침낭 같은 패딩 코트와 눈더미가 충격을 줄여준 거다.

*

그 잠깐 사이 이렇게 어두워진 걸까.

그러지 않았다고 믿었지만 나도 모르게 정신을 잃었던 건가.

떨리는 왼손을 들고 소매를 걷어본다. 눈앞에서 손목시계를 만져보지만, 이미 스스로 알던 것처럼 바늘들은 야광이 아니다. 보이는 것은 암흑뿐이다.

무딘 칼로 눈을 도려내는 것 같던 두통이 사라졌다는 것을 나는 깨닫는다. 충격 때문에 마취 물질이 분비되거나 심박수가 올라가서인지도 모른다. 그러나 통증보다 끔찍한 추위가 있다. 부딪히는 이를 멈출 수 없다. 턱관절이 빠질 듯 얼얼하다. 솜이 충전된 후드 아래에서 눈의 한기가 목도리 사이로 파고든다. 꿈틀대는 무릎을 두 팔로 힘껏 안으며 나는 생각한다.

내가 잘못 들어서서 미끄러져 내려왔고 지금 누워 있는 이 길은, 길이 아니라 건천인 것 같다. 우묵하게 파인 지형에 살얼음이 얼어 있었고 그 위로 눈이 쌓인 것이다. 이 화산섬에는 하천이 거의 없고 폭우와 폭설에만 흐르는 마른 물길이 드물게 있다. 이 건천을 경계로 원래는 마을이 나누어졌다고 인선은 산책길에 말했었다. 내 너머로 사십 호 안팎의 집들이 모여 있었다고, 1948년 소개령 때 모두 불타고 사람들이 몰살되며 폐촌되었다고 했다.

그러니까 그때까진 외딴집이 아니었던 거지. 내 하나 건너면 마을이 있었으니까.

이곳이 그 건천이라면 최소한 길을 잘못 들었던 건 아니다. 좀 전의 갈랫길로 돌아갈 수만 있다면 방향을 찾을 수 있다. 문제는 내가 얼마나 멀리 미끄러져 내려왔는지 알 수 없다는 거다. 삼사 미터일 수도, 십여 미터일 수도 있다. 이 어둠만 아니라면 방향을 가늠할 수 있을 거다. 라이터 하나, 성냥갑 하나라도 주머니에 있다면.

*

그 버스에서 내리지 말았어야 했다.

나를 앞질러 서행해 나아가던 버스는 체인을 감은 바퀴 자국을 눈 위에 남겼지만, 눈보라 속에 차 꽁무니가 보이지 않게 되었을 때는 이미 함박눈에 덮여 흔적이 남지 않았다.

저물었지만 약간의 잿빛이 허공에 남아 있었다. 그 빛을 눈이 반사해 아직 사물을 식별할 수 있었다. 마을의 유일한 점방에는 불이 밝혀지지 않았지만 문 아래쪽에서 취침등 같은 희미한 빛이 새어나왔다. 혹시 몰라 미닫이문을 밀어보았으나 잠겨 있었다. 두드려도 인기척이 없었다. 살림집에 딸린 가게가 아닌 것 같았다.

남은 빛에 의지해 방향을 잡고 나는 걷기 시작했다. 큰길을 벗어나 눈 덮인 밭담들을 통과했다. 캄캄한 비닐하우스들을 지나 침엽수들 사이로 난 길로 접어들었다. 작은 차 한 대가 겨우 지나다닐 만큼의 폭을 지닌 그 길부터는 무릎까지 눈이 쌓여 있었다. 눈 속으로 발을 밀어넣었다가 빼내며 걸어야 해서 속력을 내기 어려웠다. 운동화와 양말이 금세 젖었다. 발목과 정강이로 눈이 파고들어왔다. 지표가 될 건물이 없고 나무들이 점점 깊은 어둠에 잠기는데다 눈에 덮여 수종을 알아볼 수 없어, 이제 믿을 수 있는 것은 오르막과 내리막의 감각, 좁아지거나 넓어졌던 길의 기억뿐이었다.

다행인 것은 숲 사이로 걷는 동안 바람이 잠잠해진 거였다. 쉴새없이 얼굴로 몰아쳐 눈도 제대로 뜨기 어렵던 눈보라가 차츰 순해지는가 싶더니 거의 고요해졌다. 내가 눈 속에 걸음을 내디디고 다리를 빼내는 소리만이 저녁의 정적을 부스러뜨리며 함께 나아가고 있었다. 혼자라는 게 두려웠지만, 그 순간 무엇인가 나타난다면 더 무서운 일일 거란 생각이 들었다. 그게 산짐승이든 사람이든.

나무들의 키와 윤곽으로 미루어 삼나무 숲을 지나고 있는 듯했다. 지난해 가을, 목작업을 하는 인선을 두고 정류장까지 산책 나왔다 돌아가는 길이면 키 큰 나무들이 바람에 흔들리며 천이 스치는 것 같은 소리를 냈다. 내가 느끼기에 이 섬의 바람은 마치 배음처럼 언제나 깔려 있는 무엇이었다. 거세게 몰아치든 온화하게 나무를 쓸고 가든, 드물게 침묵할 때조차 그것의 존재가 느껴졌다. 특히 침엽수들과 아열대 활엽수들이 섞여 자라는 구간에서는, 수종에 따라 다른 속도와 리듬으로 가지와 잎사귀들 사이를 통과하며 형용 못할 화음을 만들었다. 반들반들 윤이 나는 동백 잎사귀들이 매 순간 각도를 바꾸며 햇빛을 되쏘았다. 삼나무 줄기를 타고 까마득한 높이까지 감겨 올라간 단풍마 덩굴이 그넷줄처럼 흔들거렸다. 어디 숨어 있는지 알 수 없는 동박새들이 신호를 주고 받듯 번갈아 울었다.

시시각각 더 무거운 어둠에 잠기는 눈길에서 나는 그 바람을 생각하고 있었다. 정적의 뒷면에 먹 자국처럼 배어 있는, 언제든 형상을 이루며 선명해질 수 있는 그림자 같은 그걸 걸음마다 느꼈다. 박명 속에 함박눈은 쉼없이 떨어져내렸고, 마침내 갈랫길이 나왔을 때에는 정말 어두워져 있었다. 정확히 보기 위해 휴대폰의 랜턴을 켜자 눈 덮인 나무들이 섬뜩할 만큼 하얀 빛을 내쏘았다. 하염없이 내리는 눈 사이로 어둠에 잠긴 세 갈래 길이 뻗어 있었다. 뒤를 돌아보자, 내 깊은 발자국들이 눈 위로 찍힌 외갈래 길이 정적에 잠겨 있었다.

*

새는 어떻게 됐을까.

오늘 안에 물을 줘야 살릴 수 있다고 인선은 말했다.

그런데 새들에게 오늘은 언제까진가.

무슨 불이 꺼지는 것같이 잠들어, 얘들은.

지난해 가을 저녁, 한 시간 남짓 새들을 풀어놓고 자유비행을 시킨 뒤 차례로 새장에 들이며 인선은 나에게 말했다. 검은 암막 천을 덮어주기 전에 잠시 새들의 눈을 들여다봤다.

이렇게 동그랗게 눈을 뜨고 우는데, 빛이 없으면 즉시 잠들어버려. 무슨 전극에 연결된 것처럼. 한밤에라도 이걸 걷어주기만 하면 바로 깨어서 울고 말을 해.

*

패딩 코트 밖으로 나온 종아리와 발이 더이상 시리지 않다. 털장갑 낀 손을 뻗어 무감각한 발목을 만져본다. 두 무릎을 더 몸 쪽으로 끌어올린다. 공처럼 말린 몸 전체를 외투가 감싸도록, 바람이 가슴과 배로 들어오지 않도록 더 단단히 몸을 말아본다. 그러나 발까지 외투로 감싸는 건 불가능하다.

감각이 없을수록 발가락을 움직여야 하는 건지도 모른다. 이미 동상이 진행되기 시작했는지도 모른다. 인선이 삼면화라고 이름 붙였던 영화들 중 두번째 단편의 주인공이었던, 열여섯 살에 닷새 동안 혼자 만주 벌판을 가로질러 독립군 캠프로 복귀했다던 노인은 그 여정에서 동상을 입어 발가락 네 개를 잃었다고 했다. 하늘은 푸른데 강풍이 불어 벌판의 눈가루가 눈보라처럼 날리던, 이마에 작은 카메라를 고정시킨 인선이 그 속을 걸으며 찍은 장면 뒤에 인터뷰가 들어왔다.

정말 모르겠어요. 어떻게 그 눈 속에서 살아남으신 건지.

치매에 걸린 노인 대신 인터뷰를 승낙한 맏딸의 목소리가 바람 소리와 눈 밟는 소리 위로 겹쳐졌다.

눈 속이 더 포근했다고 어머니는 늘 말씀하셨어요. 구덩이를 눈 속에 파고 그 안에서 아침을 기다렸다고 했어요. 잠이 들면 얼어 죽을 거라서 몸을 꼬집으며 버텼다고.

곁에서 오가는 대화를 이해하는지 알 수 없는 노인의 시선을 카메라가 비췄다. 자개단추가 달린 미색 카디건을 걸친 그는 휠체어에 앉아 물끄러미 창밖의 햇빛을 보고 있었다.

평양에서 방직공장에 다니셨는데, 따르던 야학 선생님들이 독립군에 들어간 걸 뒤늦게 알고 따라나서셨대요. 순둥이가 어떡하려고 여기까지 왔느냐고, 어린 제자를 본 선생님들이 놀라 물으시더래요. 어머니는 아마 그 선생님들 중 한 분을 사모하거나 동경하셨던 것 같아요. 그분을 따라 운송조에 끼어서 무기와 탄약을 몰래 나르는 일을 했대요. 보따리에 숨겨서 기차로도 나르고, 곡물 자루에 실어 트럭으로도 날랐대요. 하루는 네 명의 조원과 함께 강가 숙소에 묵었는데, 무슨 첩보가 있었던지 일본군이 들이닥쳤대요. 한 칸씩 방문을 열고 수색해 들어오는 소리를 듣고, 가장 안쪽 방에 묵던 조원들과 함께 창문으로 빠져나왔대요. 다 함께 달리다 칠흑 같은 강에 뛰어들었는데, 물속으로 쏟아진 총알이 당신만을 피해간 걸 이해할 수 없다고 어머니는 말씀하시곤 했어요. 강을 헤엄쳐 건너고 보니 이쪽 기슭엔 자신뿐이었다는 거예요. 혼자만 산 이유를 알고 싶다는 생각만 하면 불꽃 같은 게 활활 가슴에 일어서 얼어죽지 않은 것 같다고 어머니는 말씀하셨어요. 그때 젖은 신발이 끝까지 마르지 않아 발가락 네 개가 떨어져나갔는데, 나중에야 그걸 알았지만 아깝지도 슬프지도 않더래요.

*

발을 제외한 몸 전체를 패딩 코트 안에 밀어넣고 후드 속 깊이 머리와 뺨까지 감췄지만, 콧날 오른편과 눈꺼풀로 떨어지는 눈만은 막을 수 없다. 손을 들어 닦아내면 공처럼 말아놓은 몸이 풀릴 거라서, 무엇보다 그렇게 웅크려 만든 온기가 흩어질 거라서 눈이 쌓이는 대로 내버려둔다. 쉴새없이 부딪히는 턱이 빠질 듯 얼얼해, 눈 덮인 소매의 빳빳한 겉면을 잇새에 물고 버티다 퍼뜩 생각한다. 물은 언제까지나 사라지지 않고 순환하지 않나. 그렇다면 인선이 맞으며 자란 눈송이가 지금 내 얼굴에 떨어지는 눈송이가 아니란 법이 없다. 인선의 어머니가 보았다던 학교 운동장의 사람들이 이어 떠올라 나는 무릎을 안고 있던 팔을 푼다. 무딘 콧날과 눈꺼풀에 쌓인 눈을 닦아낸다. 그들의 얼굴에 쌓였던 눈과 지금 내 손에 묻은 눈이 같은 것이 아니란 법이 없다.

*

무엇을 생각하면 견딜 수 있나.

가슴에 활활 일어나는 불이 없다면.

기어이 돌아가 껴안을 네가 없다면.

*

국수 줄까, 인선이 묻자 그녀의 어깨에 앉아 있던 새가 또렷하게 대답했던 걸 기억한다.

그래.

인선은 냉장고로 걸어가 소면 봉지를 문 안쪽에서 꺼냈다. 탁자 위에 있던 아마가 푸드덕 날아와 인선의 남은 어깨에 앉았다. 인선은 마른 국수 한 가닥을 뽑아 반으로 분지르고는 두 마리 새에게 동시에 먹였다. 톡, 톡 국숫가락을 분질러 먹는 녀석들과 공평하게 번갈아 눈을 맞췄다.

네가 줘볼래?

인선이 내민 국수 봉지를 얼결에 내가 받아들자 새들이 내 어깨로 옮겨왔다. 인선이 했던 것처럼 국수 한 가닥을 분질러 두 새에게 동시에 내밀고는 어느 쪽에 먼저 눈을 맞춰야 할지 몰라 나는 당황했다. 새들이 부리로 국숫가락을 부러뜨릴 때마다, 샤프펜슬

심이 부러지는 것 같은 가냘픈 충격이 내 손끝을 두드렸다.

*

모른다, 새들이 어떻게 잠들고 죽는지.
남은 빛이 사라질 때 목숨도 함께 끊어지는지.
전류 같은 생명이 새벽까지 남아 흐르기도 하는지.

*

밝아지려면 얼마나 남았을까.

견딜 수 없이 몸을 떨게 하던 한기가 차츰 누그러지고 있다. 기온이 올라가고 있을 리 없는데, 따스한 공기의 덩어리가 외투를 감싸는 듯 잠이 밀려온다. 눈꺼풀에 떨어지는 눈송이의 감각이 어느 사이 무디어져 있다. 거의 차갑게 느껴지지 않는다.

깜박 잠들어 무릎을 놓칠 때마다 손깍지를 새로 낀다. 눈송이가 얼굴에 떨어지는 감각을 느낄 수 없다. 가는 붓끝 같은 감촉도, 눈시울을 적시는 물기도 더이상 느껴지지 않는다.

파문처럼 환하게 몸 전체로 번지는 온기 속에서 꿈꾸듯 다시 생각한다. 물뿐 아니라 바람과 해류도 순환하지 않나. 이 섬뿐 아니라 오래전 먼 곳에서 내렸던 눈송이들도 저 구름 속에서 다시 응

결할 수 있지 않나. 다섯 살의 내가 K시에서 첫눈을 향해 손을 내밀고 서른 살의 내가 서울의 천변을 자전거로 달리며 소낙비에 젖었을 때, 칠십 년 전 이 섬의 학교 운동장에서 수백 명의 아이들과 여자들과 노인들의 얼굴이 눈에 덮여 알아볼 수 없게 되었을 때, 암탉과 병아리들이 날개를 퍼덕이는 닭장에 흙탕물이 무섭게 차오르고 반들거리는 황동 펌프에 빗줄기가 튕겨져 나왔을 때, 그 물방울들과 부스러지는 결정들과 피 어린 살얼음들이 같은 것이 아니었다는 법이, 지금 내 몸에 떨어지는 눈이 그것들이 아니란 법이 없다.

*

삼만 명이었어요.

햇빛이 드는 회벽에 기대어 인선은 두 무릎을 세우고 앉아 있었다. 카메라는 그녀의 얼굴 대신 한쪽 어깨와 무릎을 포착해, 대부분의 화면은 흰 회벽이 차지하고 있었다. 그 벽에 알 수 없는 그림자가 일렁거렸다. 웃자란 풀들이 인선의 아사면 셔츠를 스치며 흔들렸다.

대만에서도 삼만 명, 오키나와에서는 십이만 명이 살해되었는데요.

인선의 목소리는 언제나처럼 침착했다.

그 숫자들을 생각할 때가 있어요. 그곳들이 모두 고립된 섬이었다는 것에 대해서도.

회벽에 일렁이는 빛이 확대되어, 화면은 더이상 아무것도 포착하지 않는 발광하는 평면이 되었다.

*

따스한 빛에 빨려들듯 수면 속으로 빠져들 때마다 눈꺼풀을 밀어올린다. 눈이 떠지지 않는 게 졸음 때문인지, 속눈썹과 눈시울에 끼인 살얼음 때문인지 분명하지 않다.

혼곤해지는 의식 속에 얼굴들이 떠오른다. 알지 못하는 죽은 사람들이 아니라 먼 육지에 지금 살아 있는 사람들이다. 황홀하게 선명하다. 생생한 기억들이 동시에 재생된다. 순서도, 맥락도 없다. 한꺼번에 무대로 쏟아져나와 저마다 다른 동작을 하는 수많은 무용수들 같다. 몸을 펼친 채 단박에 얼어붙은 순간들이 결정結晶처럼 빛난다.

모르겠다, 이것이 죽음 직전에 일어나는 일인지. 내가 경험한 모든 것이 결정이 된다. 아무것도 더이상 아프지 않다. 정교한 형상을 펼친 눈송이들 같은 수백 수천의 순간들이 동시에 반짝인다. 어떻게 이게 가능한지 모르겠다. 모든 고통과 기쁨, 사무치는 슬픔과 사랑이 서로에게 섞이지 않은 채 고스란히, 동시에 거대한 성운처럼 하나의 덩어리로 빛나고 있다.

*

잠들고 싶다.
이 황홀 속에서 잠들고 싶다.
정말 잠들 수 있을 것 같다.

*

하지만 새가 있어.

손끝을 건드리는 감각이 있다.
가느다란 맥박처럼 두드리는 게 있다.
끊어질 듯 말 듯 손가락 끝으로 흘러드는 전류가 있다.

*

언제부터 바람이 다시 불기 시작했을까.

더이상 몸이 공처럼 말려 있지 않다. 손깍지는 이미 풀렸다. 둔한 손을 들어올려 눈시울의 얼음을 닦아낸다. 숲을 흔드는 세찬 바람소리가 들린다. 저 소리 때문에 깨어난 건가. 눈꺼풀을 밀어 올린 순간 나는 놀란다. 희미한 빛이 있다. 가까스로 어둠과 구별될 만큼의 암청색 빛이 내 얼굴 옆으로 쌓인 눈더미에 어려 있다.

벌써 동이 튼 건가.

아니, 꿈을 꾸고 있는 건가.

꿈이 아니다. 의식이 돌아오길 기다린 듯 무시무시한 추위가 덮쳐온다. 격렬히 떨려오는 몸을 반듯이 눕히고 나는 허공을 올려다본다. 믿을 수 없다. 어둠이 더이상 칠흑 같지 않다. 눈도 더는 내리지 않는다. 지금 흩날리고 있는 건 이미 내려 쌓였던 눈이다. 그 눈가루들을 볼 수 있는 건 달빛 때문이다. 바람이 눈구름을 흩어버린 거다. 창백한 반달이 숲 위로 떠 있다. 거대한 검은 구름들이 강풍을 타고 전진하고 있다.

*

숲 사이로 거대한 흰 뱀처럼 뻗어올라간 건천에서 파르스름한 빛이 배어나오고 있다. 뒤로 넘어지지 않도록 깊게 허리를 구부린 채 나는 한 걸음씩 디뎌간다. 맹렬히 전진하는 먹구름 사이로 달이 나타났다 사라지길 반복한다. 그 해쓱한 빛을 받은 모든 나무의 우듬지들이, 마치 다시는 어두워지지 않을 듯 암청색의 빛을 발하며 일렁이고 있다. 그러나 우듬지 아래 숲속은 아무것도 식별할 수 없는 어둠이다. 아득한 동굴처럼 입을 벌린 그 암흑 속에 무엇이 들어 있는지 나는 모른다. 수천 그루 나무들의 어두운 밑동뿐일까. 소리 내지 않는 새들과 노루떼뿐일까.

마침내 갈랫길이 눈에 들어온다. 내 몸이 빠졌던 자리도, 미끄러져 내려간 흔적도 남아 있지 않다. 그사이 내린 눈이 모든 걸 덮은 거다. 네발짐승처럼 두 손으로 눈 속을 짚으며 나는 갈랫길로 올라선다. 유난히 깊게 파여 있던 그 웅덩이가 어디였는지 알 수 없다. 샅샅이 더듬는다면 방전된 휴대폰을 찾을 수 있을지도 모르지만 시간이 없다. 언제 다시 날씨가 바뀔지 모른다.

이번에는 실수하지 않는다. 완경사로 잠시 내려가다가 평평해지는 길을 따라, 아무도 밟지 않은 눈이 반사하는 달빛에 의지해 나는 걷는다. 지척에서 흔들리는 숲의 소리, 무릎 위까지 쌓인 눈에 내 두 다리가 움푹 빠지는 소리, 내가 들이쉬고 내쉬는 가쁜 숨소리가 뒤섞인다.

*

가느다란 맥박 같은 감각이 손가락 끝에서 차츰 또렷해진다.

잊고 있던, 손바닥에 남았던 감각도 새로 피가 통하듯 생생해진다.

내 어깨에 앉은 아마의 흰 목덜미를 무심코 쓸어보았을 때, 새는 더 깊게 목을 수그리곤 기다리듯 가만히 있었다.

더 만져달라는 거야.

인선의 말대로 나는 그 따뜻한 목덜미를 다시 쓸어내렸다. 마치 인사하듯 새가 더 깊이 목을 수그리자 인선은 웃었다.

더, 계속 쓰다듬어달라는 거야.

*

한번 더 갈림길이 나온다. 나무들 사이로 난 희끗하고 좁은 길로 발을 들인 순간 덤불이 얼굴을 할퀸다. 살이 얼어서인지 거의 아프지 않지만 눈을 찔릴 뻔했다.

다시 길을 잘못 든 건가. 여기서부턴 길이 아니라 덤불숲인가.

장갑 낀 손으로 나는 눈을 닦아낸다. 이상하게 어른거리는 빛이 느껴져서다. 장갑을 벗고 맨손으로 다시 문지르자 흥건한 피가 눈 아래에서 묻어난다. 그러나 피가 문제가 아니다. 내가 잘못 본 것도 아니다. 흔들리는 나뭇가지와 덤불들이 눈가루를 흩뿌리는 사이로 어렴풋이 밝은 부분이 있다. 한 손으로 덤불을 헤치고 다른 한 손으로 얼굴을 감싸며 나는 앞으로 더 나아간다.

저 너머에 뭔가 있다. 빛을 발하는 무엇인가가.

덤불숲을 가로질러 나가자 길게 휘어진 검푸른 눈길이 이어진다. 숲을 끼고 도는 그 길은 점점 밝아져, 모퉁이의 끝에 이르러서는 선명한 은빛을 발하고 있다. 나는 필사적으로 속력을 낸다. 허벅지까지 쌓인 눈을 가르며 숨차게 나아간다. 모퉁이에 이르렀을 때 다시 눈언저리를 닦는다. 눈을 바로 뜨고 멀리 있는 불빛을 본다.

인선의 목공방이다.

철문이 활짝 열려, 마치 빛의 섬 같은 그곳에서 불빛이 쏟아져 나오고 있다. 누가 저기 먼저 와 있나, 몸서리치며 생각한 다음 순간 깨닫는다.

그날 이후 아무도 오지 않은 거다.

공방에 불이 켜져 있는데 대답이 없는 게 이상해서 들어와보니 내가 기절해 있었대.

피 흘리는 환자를 급히 트럭 짐칸에 실으며 아무도 불을 끄지 않은 거다. 문을 닫을 겨를조차 없었던 거다.

마치 누군가를 기다리는 듯 활짝 열린 문 안으로 바람이 몰아쳐 들어가고 있다. 눈부신 빛을 내쏘는 눈가루들이 함께 공방 안으로 빨려들어간다.

6
나무

공방에 들어선 순간 눈에 들어온 건 내벽의 사면에 기대서 있는 서른 그루 남짓한 통나무들이다. 등신대가 아니다. 대체로 이 미터의 키를 훌쩍 넘겨, 내 몸집과 비슷한 몇몇 나무들은 비례상 열두 살 전후의 아이들처럼 보인다.

바닥에도 몸을 겹쳐 누워 있는 통나무들 사이로 나는 걸어들어간다. 들이친 눈이 시멘트 바닥에 얇게 쌓여 있다. 사방에 튄 핏자국이 그 아래로 비쳐 보인다. 인선이 쓰러져 있었을 작업대 주변의 흥건한 핏물이 얼어붙은 자리에도 눈이 덮였다. 잘리다 만 통나무와 코드가 뽑힌 전동 그라인더, 헤드폰처럼 생긴 방음기, 크고 작은 나뭇조각들이 먹피에 얼룩진 채 작업대 위에 흩어져 있다.

미송과 삼나무와 호두나무 원목이 언제나 질서 있게 적재돼 있던 곳이다. 작업대 주변 바닥엔 깨끗한 톱밥들이 카스텔라 가루처럼 깔려 있었고, 수십 종의 목공구들은 벽과 선반의 제자리에 가지런히 걸리거나 놓여 있었다. 작업 공간을 청결히 유지하는 일을 인선은 중요하게 여겼다. 일과가 끝나는 오후 여섯시면 에어컴프레서에 연결된 에어건으로 머리칼 속의 톱밥을 꼼꼼히 날려냈고, 공방 앞문을 열어놓고 대형 서큘레이터를 틀어 작업장의 먼지를 숲으로 내보냈다. 나뭇조각들은 빗자루로 쓸어 마대에 담고, 바람에 날아가지 않는 무거운 톱밥들은 집진기로 뽑아냈다.

이곳에서 어떤 일을 하든 인선은 서두르지 않았다. 습도가 높은 날이면 수종마다 다른 나무 냄새가 진하게 섞이며 공간을 채우는데, 그걸 신호 삼아 주전자 가득 물을 끓여 자주 차를 마신다고 했다. 평소보다 나무가 무거워지고 조직이 촘촘해지기 때문에 작업 속도를 늦춰야 사고가 나지 않는다는 거였다. 그렇게 완급을 조절해가며 인선은 거의 모든 일을 혼자 감당했다. 서랍장처럼 큰 가구를 일곱 번씩 뒤집어 말려가며 오일을 먹이는 작업도, 충분히 시간을 두고 요령대로 하면 누구에게도 도움을 청할 필요가 없다고 했다.

하지만 이 규모의 작업은 혼자 감당하기 버거웠을 것 같다. 내가 꿈에서 본 검은 나무들은 등신대의 크기였다고 인선에게 말했었다. 그런데 왜 비례를 키운 걸까?

*

입구로 돌아가 나는 문을 닫는다. 바람에 다시 열리지 않도록 잠금쇠까지 걸어 잠근다.

인선의 피가 튀어 있지도, 통나무가 가로누워 있지도 않은 곳을 골라 밟으며 나는 작업장을 가로지른다. 안마당으로 통하는 뒷문에 다다라, 그 곁에 세워진 나무들 몇이 검게 칠해져 있는 것을 본다. 어떤 느낌이 되는지 보려고 미리 안료를 입혀본 모양이다. 조금씩 다른 농도로 칠해진 그 검은 나무들이 어떤 말을 하는 것 같다고 나는 느낀다. 먹을 칠하는 일은 깊은 잠을 입히는 것이라고 생각했는데, 왜 오히려 악몽을 견디는 사람들처럼 느껴지는 걸까? 칠하지 않은 생나무들은 표정도 진동도 없는 정적에 잠겨 있는데, 이 검은 나무들만이 전율을 누르고 있는 것 같다.

어째서인지 눈을 뗄 수 없는 그 나무들 앞에 나는 잠시 주저하며 서 있다. 그러나 지체하면 안 된다. 문고리를 비틀고 뒷문을 밀어보지만 열리지 않는다. 당기는 문인가 싶어 반대로 힘을 줘본다. 여전히 꼼짝하지 않는다. 문에 몸을 붙이고 체중을 실어 밀어본다. 위쪽으로 틈이 벌어지는 걸 보며 아래쪽에 더 힘껏 몸무게를 싣는다. 눈의 압력을 밀어낸 문이 한 뼘 열렸을 때 멈춘다. 문밖으로 팔을 뻗어 눈을 걷어낸다. 옆걸음으로 빠져나갈 수 있을 만큼 간격을 더 벌린다.

안채로 가는 길을 밝히려면 문을 닫아선 안 된다. 허벅지까지 쌓인 눈을 헤치며 몇 걸음 나아가다 나는 소스라치며 멈춰 선다. 마당 가운데에서 길고 검은 팔들을 흔드는 형상 때문이다. 그게 나무라는 걸 곧 깨닫고도 서늘한 충격이 남는다.

지난해 가을에도 나를 놀라게 했던, 버들처럼 가지가 늘어지는 작은 수종의 종려나무다.

사람인 줄 알았잖아.

안채 마루에서 정면으로 보이는 나무를 향해 내가 불평했을 때 인선은 웃었다.

새벽엔 더 그래. 알면서도 놀란다니까. 이 시간에 누가 왔지, 하고.

새벽빛 대신 저녁 땅거미가 내릴 때였다. 박명을 감싸며 부는 부드러운 바람 속에서, 사람보다 조금 큰 체구의 저 나무는 넓은 소매들을 앞뒤로 저으며 우리를 향해 걸어오는 것 같았다.

이제 강한 바람을 타고 그 소매들이 더 세차게 펄럭이고 있다. 금방이라도 눈 속에서 몸을 일으켜 다가올 것 같은 나무에게서 나는 고개를 돌린다. 무릎으로 눈을 밀며 캄캄한 안채를 향해 나아간다.

*

이런 어둠 속에서라면 아마는 잠들었을 거다. 내가 불을 켜야 삐이, 울며 깨어날 거다. 인선이 아침마다 암막 천을 벗길 때 그랬던 것처럼.

앵무새가 원래 이렇게 우느냐고 내가 묻자 인선은 대답했다.

글쎄, 처음부터 이렇게 울었어.

동박새 같은 소린데, 내가 말하자 인선은 웃음을 터뜨렸다.

모르지, 밖에서 우는 새한테서 배웠는지.

장난기어린 목소리로 그녀가 덧붙여 말했다.

까마귀를 따라 하지 않아 얼마나 다행이니.

*

잠기지 않은 현관 안으로 나는 들어선다. 닫힌 중문 앞에서 털장갑을 벗어 패딩 코트 호주머니에 넣는다. 감각이 사라진 발에서 젖은 운동화를 벗겨낸다. 미닫이 중문을 열고 마루에 올라서자마자 캄캄한 벽을 손끝으로 훑는다. 마침내 만져진 전기 스위치를 올린다.

서까래와 나무 창호들의 틈으로 가느다란 비명 같은 바람소리가 쉴새없이 파고들어, 실내의 정적이 오히려 또렷하게 느껴진다.

어두운 마당을 향한 넓은 창이 거울처럼 내 전신을 반사하고 있다. 패딩 코트의 후드를 벗자 피투성이 얼굴과 헝클어진 머리가 드러난다.

마루 뒤쪽으로 난 창 앞에 인선이 삼나무로 짠 탁자가 있다. 새장은 그 위에 놓여 있다. 탁자 옆면에 철물 고리들이 달려 있고, 검은 암막 천과 청소 도구들이 나란히 걸려 있다. 철망 안에는 대나무를 깎고 사포질해 만든 고정 횃대와 그네 횃대 두 쌍이, 새들 사이에 서열이 생기지 않도록 같은 높이로 설치돼 있다.

무시무시한 굉음 같은 실내의 정적을 가르며 나는 그 텅 빈 횃대들을 향해 다가간다. 새장 안의 물그릇이 비어 있다. 인선이 건과일을 담아두던 나무그릇도, 펠릿을 부어주던 사각형의 실리콘 통도 비었다. 알곡을 쪼아먹어 생긴 수십 개의 쭉정이들이 둥근 사기 접시에 흩어져 있다. 아마가 그 옆에 있다.

*

아마.

갈라진 내 목소리가 정적 속에 울린다.

내가 살리러 왔어.

곱은 집게손가락으로 나는 새장 문의 잠금쇠를 들어올린다. 아마의 머리를 향해 손을 뻗는다.

움직여봐.
내가 구하러 왔어.

*

부드러운 것이 손끝에 닿는다.
더이상 따스하지 않은 것이.
죽은 것이.

아무것도 소리를 내지 않는다.
내 숨소리, 떨리는 패딩 코트 소매가 철망에 스치는 소리뿐이다.

*

뒷걸음질을 쳐 나는 부엌으로 간다. 싱크대 문을 아래에서부터 하나씩 열어본다. 발뒤꿈치를 들고 맨 위 선반에서 알루미늄 비스킷 통을 꺼낸다. 원래 들어 있었을 과자 대신 담긴 티백들을 선반에 꺼내놓는다. 빈 통을 들고 인선의 방 문을 열고 들어간다.

불을 켜자 싱글 매트리스와 석 자짜리 옷장, 오 단 서랍장, 흰 천으로 편집용 모니터를 덮어둔 책상, 미송으로 짠 책장들이 한눈에 들어온다. 문 옆에 세워진 철제 책장의 맨 위 칸에는 색색의 플래그가 붙은 자료집들이 꽂혀 있고, 아래쪽 네 개의 선반에는 크고 작은 종이 상자 수십 개가 빼곡히 정리되어 있다. 상자들의 전면에 붙은 포스트잇에 인선이 유성펜으로 적어놓은 날짜와 표제어들을 나는 지나쳐 들어간다. 옷장 문을 열자 낯익은 겨울옷 대여섯 벌이 단출히 걸려 있을 뿐, 카메라를 비롯한 촬영 장비들이 공간의 대부분을 차지하고 있다. 옷장 문을 닫고 곁에 놓인 서랍장을 위 칸부터 열어본다. 첫번째 서랍에는 속옷과 양말이, 두번째 서랍에는 여름과 봄가을 옷들이 있다. 세번째 서랍을 열자 스카프와 손수건이 정리된 바구니가 있다. 흰 바탕에 작은 제비꽃이 귀퉁이에 수놓인, 거의 쓰지 않아 새것 같은 손수건을 꺼낸다.

*

새장 앞으로 돌아와 선다.

방금까지 따뜻한 피가 돌았던 듯 생생한 적막에 싸인 조그만 몸을 들여다보는 동안, 그 끊어진 생명이 내 가슴을 부리로 찔러 열고 들어오려 한다고 느낀다. 심장 안쪽까지 파고들어와, 그게 고동치는 한 그곳에서 살아가려 한다.

손수건으로 새를 감싸 들어올리자, 서늘하고 가벼운 몸의 전부가 얇은 천 아래로 느껴진다. 반쯤 펼쳐진 날갯죽지들을 모으고 손수건을 한번 더 감아 비스킷 통 가운데 내려놓는다. 잘 여며도 위쪽이 벌어지며 얼굴이 드러난다.

통을 새장 곁에 두고 다시 인선의 방으로 간다. 서랍장의 아래 칸들을 마저 열어보지만 반짇고리를 찾지 못한다. 인선의 어머니가 쓰던 안방으로 들어가 불을 켠다. 난방을 한 지 오래되어 한기가 밴 방이다. 전에 내가 왔을 때 그랬던 것처럼 옷장 앞에 요가 깔려 있다. 귀를 맞춰 개킨 이불이 그 위에 놓여 있다.

솜요를 밟고 옷장에 다가서며 생각한다. 지금도 실톱이 아래에 있을까. 톱날들이 악몽을 물리치는 건가, 그 날카로운 걸 미리 꿈이 피해가는 건가.

자개 장식이 군데군데 떨어져나간 낡은 문을 나는 당겨 연다. 묵은 헝겊과 좀약 냄새가 희미하게 섞인 옷장 안쪽에 반짇고리로 보이는 게 있다. 솜을 누빈 붉은 비단으로 양철을 감싸 만든, 수천 번의 손길에 겉면이 미어지고 거무스름해진 둥근 함이다. 어둠을 안고 있는 낡은 카디건과 블라우스들 아래로 나는 상체를 구부려 넣는다. 함을 꺼내 뚜껑을 열어본다. 희고 검은 실들이 귀에 꽂힌 바늘들과 투박한 모양의 골무, 여러 종류의 단추들과 녹슨 재봉 가위, 마분지를 길게 접어 만든 심 위로 흰 무명실을 불룩하게 감아놓은 실꾸러미가 담겨 있다.

*

새의 죽은 얼굴을 다시 감싸 여민다. 좀전처럼 손수건이 벌어지지 않도록 흰 무명실로 감고 재봉 가위로 자른다. 매듭을 짓다 잘 안 보여 손등으로 눈을 문지르고서야 끈끈한 즙 같은 것이 새어 나온 걸 안다. 덤불에 찔려 흐른 피와 섞인 그걸 패딩 코트 앞섶에 함부로 닦는다. 시고 끈적이는 눈물이 다시 솟아 상처에 엉긴다. 이해할 수 없다. 아마는 나의 새가 아니다. 이런 고통을 느낄 만큼 사랑한 적도 없다.

한 뼘 남짓한 너비의 작은 통이지만 새의 몸이 워낙 작아, 쓸리고 부딪히지 않게 하려면 더 감쌀 게 필요하다. 두르고 있던 목도리를 풀어 상자의 안쪽 사면을 두른다. 폭이 좁고 길이도 짧아 목으로 들어오는 바람을 제대로 막지 못했던 것인데, 맞춘 듯 상자의 빈 곳을 메워준다.

그 위로 알루미늄 뚜껑을 덮으며 생각한다. 쥐와 벌레가 파먹지 못하게 하려면 밖에서도 상자를 싸야 한다. 욕실 입구에 놓인 대바구니에서 깨끗해 보이는 흰 수건을 꺼내와 상자를 감싼다. 무명실을 길게 끊어 두 번 십자로 묶고 매듭을 짓는다.

*

수십 포대의 설탕을 부어놓은 것 같은 눈이 안채에서 흘러나오는 불빛을 반사하고 있다. 처마 아래 기대선, 반나마 눈에 덮인 싸리 빗자루를 나는 집어든다. 새가 든 상자를 한 팔로 안은 채 빗자루로 주변의 눈을 쓸어내자 젖은 삽이 쓰러진 채 모습을 드러낸다.

어디에 묻어야 할까.

처마 아래 상자를 두고 삽을 들며 나는 생각한다.

인선이라면 어디 묻으려 할까.

목도리를 벗은 목으로 바람이 파고든다. 후드를 쓰고 나는 허리를 굽힌다. 여전히 검은 소매 같은 가지들을 휘두르고 있는 나무를 향해 삽으로 눈을 퍼내며 나아간다. 중간에 멈춰 허리를 펴고 돌아보자, 상자가 놓인 처마 아래까지 좁다란 굴이 뚫린 것처럼 보인다.

마침내 나무 아래에 다다른다. 밑동 앞에 쌓인 눈을 삽으로 퍼낸다. 숨이 가빠지는 만큼 추위가 가신다. 상자를 가지러 안채 앞까지 걷는 동안엔 이상할 만큼 세차게 심장이 뛴다고 느낀다.

나무 옆에 상자를 내려놓는다. 눈 아래 드러난 흙에 삽을 꽂는다. 오른발로 체중을 실어 삽날을 박는다. 꼼짝도 하지 않는다. 두 발을 모두 올리고 흔들리며 잠시 중심을 잡자 삽날이 조금 내려간다. 그렇게 올라섰다 내려서기를 반복한다. 체중을 실은 삽날이 조금씩 언 땅을 비집고 들어가는 게 느껴진다. 팔과 다리가 떨린다. 알고 있다. 뜨거운 죽을 먹어야 한다. 더운물로 몸을 씻고 누워야 한다. 하지만 새를 묻기 전엔 그럴 수 없다.

삽날을 타고 마침내 얼지 않은 속흙의 감각이 느껴진다. 삽을 꽂아둔 채 내려서서 숨을 고르며 하늘을 본다. 달이 사라졌다. 달빛을 받으며 전진하던 먹구름들도 보이지 않는다.

더 큰 눈이 내리려는 걸까.

그전에 서둘러야 한다.

상자가 들어갈 너비로 작은 구덩이를 파다 말고, 미끈하고 찬 것이 별안간 뺨을 건드려 나는 몸서리친다. 긴 소매처럼 늘어뜨려진 나뭇가지가 스친 거다. 나무우듬지를 올려다보자 작은 눈송이가 미간에 떨어진다. 불 켜진 안채 앞으로도 성근 눈발이 날리고 있다.

이런 눈이 지금 서울에도 내리고 있을까, 나는 생각한다. 오래전 인선과 함께 국숫집 창으로 보았던 것 같은, 쌀가루처럼 입자가 고운 눈이 날리고 있을까. 늦은 시각 지하철역을 빠져나와 후드를 쓰고 눈 속으로 걸어들어갈 사람들의 물결을 나는 떠올린다. 미리 준비한 우산을 펼쳐 드는 몇 안 되는 사람들, 끝없이 늘어서서 붉은 미등을 켜고 신호를 기다리는 차들, 그 사이로 눈을 맞으며 달리는 오토바이들을 떠올린다. 내가 없는 그곳에 인선이 있고, 그녀가 없는 이곳에 내가 있다는 건 이상한 일이다.

인선의 손가락이 잘리지 않은 평행우주가 존재한다면 나는 지금 서울 근교 아파트의 침대에 웅크려 누워 있거나 책상 앞에 앉아 있을 거다. 인선은 싱글 매트리스에서 잠들어 있거나 안채의 부엌에서 서성거리고 있을 거다. 암막 천에 덮인 새장 속 횃대에 아마가 발을 걸고 있을 거다. 잠든 몸이 어둠 속에서 따스할 거다. 가슴털 아래 심장이 규칙적으로 뛰고 있을 거다.

그게 멈춘 게 언제였을까, 나는 생각한다. 내가 건천으로 미끄러지지 않았다면 그전에 물을 먹일 수 있었을까. 그 순간 제대로 길을 택해 내처 걸어왔다면. 아니, 그전에 터미널에서 더 기다려 산을 가로지르는 버스를 탔다면.

*

그사이 상자 위로 쌓인 눈을 손바닥으로 쓸어낸 뒤 구덩이 속에 넣어본다. 흙바닥이 고르지 않아 평평히 놓이지 않는다. 캄캄한 바닥 면을 두 손으로 갈퀴질해 고르고, 그사이 다시 곱게 상자에 내려앉은 눈을 쓸어낸다. 아무도 해주지 않을 다음 신호를 기다리듯 잠시 쪼그려앉아 있다가 구덩이 속에 상자를 내려놓는다. 희끗한 표면이 더이상 보이지 않을 때까지 두 손으로 흙을 떠 넣는다. 좀전에 파냈던 흙을 삽으로 퍼서 덧쌓고, 힘껏 손바닥으로 다져 작은 봉분을 만든다. 검은 흙의 표면이 금세 눈에 덮이는 걸 지켜본다.

*

이제 더 할일이 없다.

몇 시간 후면 아마는 얼어붙을 거다. 2월이 올 때까지 썩지 않을 거다. 그러다 맹렬히 썩기 시작한다. 깃털 한줌과 구멍 뚫린 뼈들만 남을 때까지.

*

공방 불을 끄고 뒷문을 닫기 위해 삽으로 길을 내다가, 공방 외벽 앞의 무엇인가가 대형 방수포에 덮여 있는 것을 나는 발견한다. 방수포 귀퉁이를 들추자 통나무 수십 그루가 쌓여 있다. 무너지지 않도록 여러 차례 묶어 고정한 고무 밧줄들 사이로 날것 그대로 거친 수피가 보인다.

안에 있는 것들과 합하면 백 그루가 넘는 거구나.

나뭇더미 위쪽 회벽에 그림자가 어른거리고 있다. 안채에서 흘러나오는 불빛을 받아 드리워진, 방금 밑동 아래 아마를 묻은 나무의 그림자다. 여러 사람의 팔처럼 소리 없이 흔들리는 그 형상을 바라보다가, 인선이 마지막 영화에서 스스로를 인터뷰했던 배경이 이 벽이었다는 생각이 머리를 스친다. 햇빛 드는 회벽에 일렁이던 그림자의 움직임이 거의 흡사했다.

인선이 그 영화를 만든 것은 이곳으로 내려와 살기 전이었으니 당시 건물은 아직 창고였을 거다. 인선의 어깨와 무릎, 희끄무레한 목선의 굴곡은 마치 잘못 끼어든 피사체처럼 화면 가장자리에 있었고, 화면의 대부분을 차지하는 회벽 위로 저 그림자가 계속해서 어른거리고 있었다. 긴장을 느끼게 하는 움직임이었다. 인터뷰이가 방금 뱉은 말을 부인하며 내젓는 팔 같은, 힘껏 내밀었다가 돌연히 거두는 손길 같은 일렁임이 인터뷰의 흐름에 의도적이고 지속적인 불협화음을 넣었다.

*

나중에 그 동굴을 찾아갔는데, 찾을 수 없었어요.
몇 번이나 기억을 더듬어서 가봤는데 실패했어요.

아니요. 꿈은 아니었습니다.

아홉 살 되던 겨울에 간 게 마지막이었어요.

밑도 끝도 없이 인터뷰는 그렇게 시작되었다. 질문들은 편집되었거나 애초에 존재하지 않았다.

이 섬의 동굴들은 입구가 작아요. 한 사람이 겨우 드나들 정도니까 돌로 가려놓으면 감쪽같은데, 안으로 들어갈수록 놀랄 만큼 커집니다. 1948년 겨울엔 한마을 사람들이 모두 들어가 몸을 피한 곳도 있어요.

이마에 카메라를 달고 촬영한 듯한 숲이 돌연히 나타났다. 카메라의 눈이 닿는 모든 곳에서 거대한 활엽수들이 바람에 흔들리며 솟아오르고 있었다. 그 우듬지들이 햇빛을 가려 숲의 아랫부분에는 풀이 자라지 않았고 저녁처럼 어둑했다. 가지째 떨어져 있는 커다란 잎사귀들, 거인의 관절들처럼 구부러져 돌출된 뿌리들, 새어들어온 햇빛이 땅에 그린 고요한 무늬들 사이로, 계속해서 흙이 부스러지는 발소리와 함께 화면이 이동했다.

아버지와 내가 가곤 했던 동굴은 그만큼 크지는 않았어요. 많아야 여남은 사람이 몸을 피할 수 있을 정도.

흰 회벽이 화면으로 돌아왔다. 햇빛을 받은 인선의 무릎 위로

깍지 낀 두 손이 얹혀 있었다. 잠시 바람이 완전히 멎어, 흔들릴 때는 소맷자락 같았던 나뭇가지 하나의 그림자가 거대한 양치잎 같은 형상을 회벽 위에 또렷이 새겼다.

공기가 항상 축축했던 기억이 나요. 동굴에 들어가기 직전엔 늘 비나 눈을 맞았던 것도. 맑은 날씨가 기억나지 않는 걸 보면 아버지는 낮은 기압에 반응했던 것 같습니다. 눈비가 오면 관절이나 근육이 아픈 사람들처럼.

그녀의 목소리가 속삭이듯 낮아졌다.

속솜허라.
동굴에서 아버지가 가장 많이 했던 말이에요.

양치잎 같은 그림자가 벽 위를 미끄러지며 소리 없이 솟아올랐다.

숨을 죽이라는 뜻이에요. 움직이지 말라는 겁니다. 아무 소리도 내지 말라는 거예요.

손깍지 낀 그녀의 두 손이 풀렸다가 다시 단단히 매듭지어졌다.

동굴 입구를 막은 돌 틈으로 빛이 새어들어왔던 기억이 나요. 아버지가 두툼한 점퍼를 벗어서 입혀줬던 기억도. 열이 나지도 않는 내 이마에 손을 짚으면서 아버지는 목소리를 낮춰 말했어요.

감기 들리민 안 돼여. 정신 바짝 차리민 아프지 않을 수 이서. 정말로 멩심해야 돼여.

집으로 가자고 내가 속삭여 말하면 아버지는 낮고 단호하게 대답했어요.

그 집에 이시면 안 돼여.

이렇게 추운 데서 어떻게 자느냐고 내가 물으면 아버지는 이해할 수 없는 말을 했어요.

밤낫이 어신 거라이. 군사작전이라는 건.

어멍이 기다릴 건디.

내가 어멍이라는 말을 뱉은 순간 아버지의 몸 전체가 움찔 떨리는 걸, 전류가 옮겨온 것처럼 느낄 수 있었어요.

그러니까 우릴 따라와서야 해신디.

돌 틈으로 들어오던 빛이 흐려지다 캄캄해지기 직전에 보았던 아버지의 얼굴을 기억해요. 돌 틈을 올려다보는 눈에서, 철회색으로 센 머리카락에 맺힌 눈비에서 유리구슬같이 반들반들한 빛이 났어요.

어떵할 수가 이시냐. 억지로 끄성 올 방법이 어디 이시냐. 아이를 살려사주. 이 아이가 무신 죄가 이서.

그 순간 그의 머릿속에 스쳐가고 있었을 상상들의 내용을 몰랐지만, 절망적인 결론에 다다를 때마다 내 손을 잡는다는 걸 알 수 있었어요. 그의 몸에서 배어나온 조용한 전율이, 빨래를 쥐어짜는 순간 쏟아지는 물처럼 손을 적시는 걸 느꼈어요.

동서로 긴 타원의 섬 지도가 화면에 떠올랐다. 1948년 미군 기록물이라는 자막 위로, 해안선에서부터 오 킬로미터를 표시하는 경계선이 두드러진 굵기로 그어져 있었다. 한라산을 포함하는 그 안쪽 지역을 소개疏開하며, 해당지를 통행하는 자를 폭도로 간주해 이유 불문 사살한다는 내용의 포고문이 자막으로 이어졌다. 놀라울 만큼 노이즈 없이 선명한 흑백 무성 영상이 뒤따라 들어왔다. 초가지붕들이 불탔다. 검은 연기가 불꽃과 함께 하늘로 치솟았다. 검이 장착된 장총을 멘 옅은 색 제복의 병사들이 현무암 밭담을 뛰어넘었다.

어둠이요.

어둠이 거의 기억의 전부예요.

깜박 잠들었다가 눈을 뜰 때마다 혼란스러웠어요. 여기는 집이 아니라 동굴이고, 얼굴도 몸도 보이지 않는 아버지의 손이 내 손

을 아직도 쥐고 있다는 걸 깨닫는 순간이 얼마 뒤에 찾아왔어요. 그 손이 아니었다면 나는 소리를 냈을 거예요. 엄마를 찾거나 울음을 터뜨렸을지도 몰라요. 그걸 알았기 때문에 아버지가 내 손을 잡고 있었던 것 같습니다. 어둠 속에서, 다른 손으로 내 입을 틀어막을 준비를 하고 있었는지도 모릅니다. 잠결에라도 내가 소리 내지 않게 하려고. 언제 그 굴 앞을 지나갈지 모를 존재들에게 들키지 않기 위해.

마른 억새에 덮인 오름 앞길을 트럭에 실려 이동하는 민간인들의 자료 영상이 뒤이어 들어왔다. 그 트럭을 뒤쫓는 차에서 촬영한 것 같았다. 총을 멘 헌병 둘이 짐칸의 앞과 뒤에 서 있고, 아기를 안은 여자들과 노인들을 포함한 수십 명의 사람들이 어깨와 등을 맞댄 채 앉아 있었다. 다섯 살가량으로 보이는 단발머리 여자아이가 어머니로 보이는 젊은 여자의 옆구리에 바싹 몸을 붙이고 앉아, 앵글 밖으로 사라지는 순간까지 카메라 쪽을 응시했다.

동굴로 가다가 눈이 내리기 시작하면 아버지가 조릿대를 꺾었어요.

다시 숲 그늘 속에서 인선의 카메라가 느린 걸음의 속도로 이동했다.

나한테는 앞장서 가라고 하고, 아버지는 바닷게처럼 옆걸음을 걸어서 나를 따라왔어요. 두 사람의 발자국을 조릿대 잎으로 쓸어 지우면서.

이디서 어디로 가, 아빠?

내가 멈춰서 물을 때마다 아버지는 차분한 목소리로 방향을 알려줬어요. 더이상 길이 없는 산속으로 접어들면 나에게 등을 내밀어 업히라고 하고, 그때부턴 당신의 발자국만 쓸어내며 비탈을 올랐어요. 업힌 채로 나는 발자국들이 사라지는 걸 똑똑히 지켜봤어요. 마술 같았어요. 매 순간 하늘에서 떨어져내리는 사람들처럼, 우린 단 한 점의 발자국도 남기지 않으며 걷고 있었어요.

흑백사진 석 장이 차례로 화면을 채우고 사라졌다.

해송 숲 가운데 흰옷 입은 남자 넷이 서 있었다. 철모를 쓴 군인 넷이 그들에게 과녁 조끼를 입히고 있었다. 네 쌍의 모습이 측면에서 클로즈업되어, 차려 자세로 서 있는 청년들의 콧날과 인중, 턱과 목을 잇는 앳된 선들이 또렷하게 보였다. 카메라에 가장 가까워 얼굴이 크게 보이는 청년의 입술은 긴장한 듯 다물렸고, 막 침을 삼킨 듯 목의 얇은 피부 아래 성대가 튀어나왔다.

다음 사진에서 청년들은 과녁 옷을 입고 한 명씩 소나무에 묶여 있었다. 사진의 화각이 좀전보다 넓어져, 오 미터가 채 안 되는 거리에서 엎드려쏴 자세로 과녁을 겨눈 병사들이 화면 안으로 들어왔다.

마지막 사진에서 청년들의 몸은 비틀려 있었다. 끈으로 묶인 허리 위쪽 상체가 앞으로 튀어나왔다. 턱이 들리고 고개가 젖혀졌다. 무릎이 오그라졌다. 입이 벌어졌다.

목소리가 작았어요, 아버지는.

회벽 앞에 앉은 인선의 두 손이 무릎 위에서 천천히 움직였다. 생각에 잠길 때면 손등이 보이도록 나란히 놓는 특유의 동작이었다. 하나인 듯 겹쳐져 있던 나뭇가지 그림자가 바람에 흔들리며 둘이 되었고 이어 셋이 되었다. 회벽을 더듬는 손들처럼 어른거리며 순간마다 방향과 형상을 바꾸었다.

언젠가 어머니가 말한 적이 있어요.

느네 아방이 소나이다워시민 아마 내가 싫어실 거라. 처음 봐신디 소나이 얼굴이 얼마나 곱닥하던지. 십오 년을 햇빛을 못 봐난 그래나신가, 살갗이 버섯같이 히영했주게. 그런 사름을 다들 피하는 게 잘도 이상해서. 죽었던 사름이 돌아온 것추룩. 눈초리 한 번만 섞어도 귀신을 옮길 사름인 것추룩.

목소리만 남기고 인선의 무릎과 손이 화면에서 사라졌다. 회벽 위 그림자들의 일렁임이 채찍처럼 격렬해졌다. 인선의 음성은 속삭이듯 더 낮아졌다.

아버지가 여느 때와 달라져서 멍하게 벽에 기대앉아 있는 날이면 어머니는 나를 불렀어요. 집히는 대로 생고구마나 오이 조각 두어 개, 귤 한두 알을 내 손에 쥐여주며 말했어요.

느네 아방 가져당주라. 안 받으민 입에다 넣어드려불라.

아버지가 그것들을 먹다가 문득 환상에서 빠져나오길 어머니는 바랐던 것 같아요. 그 방법이 정말 통하는 날도 있었어요. 내 손에서 귤을 건네받으며 아버지는 반쯤 웃었어요. 마치 두 세계를 사는 사람 같았어요. 한 눈으로는 나를 보고 다른 한 눈으론 내 몸 너머 다른 빛을 보는 것같이, 어두운 방인데도 부신 듯이 눈을 가늘게 뜨고 나를 올려다봤어요.

*

공방의 불을 끄고 문을 닫은 뒤, 방수포가 펄럭일 때마다 거칠게 잘린 단면을 드러내는 나무들을 등지고 나는 걷는다. 삽을 옆구리에 끼고, 아까 안채로 건너가며 내놓은 발자국들을 찾아 디디며 나아간다. 안채 현관으로 들어가 눈을 털며 문을 걸어 잠근다.

이 눈과 밤을 뚫고 찾아올 누군가가 있기라도 한 것처럼.

신을 벗기 위해 중문 턱에 걸터앉았다가, 현기증이 일어 그대로 몸을 뒤로 눕힌다. 젖은 운동화 위에 맨발을 올려놓고 눈을 감는다. 하루 내내 무수한 각도로 흩날리고 떨어졌던 눈발의 흰 선들이 환각처럼 눈꺼풀 안쪽에서 재생된다.

신음 같은 바람이 문틈으로 파고들어오고 있다. 누군가 흔드는 듯 발치에서 문이 덜컹거린다. 혀뿌리에서부터 시큼한 타액이 고인다. 조심스럽게 모로 누우며 나는 숨을 고른다. 지금 움직이지 않으면 토하지 않을 수도 있다. 지금, 더 깊고 느리게 숨을 쉬면.

그러나 마루를 짚고 몸을 일으킨다. 싱크대로 달려가 개수구에 토한다. 먹은 게 없으니 위액만 게워져 나온다. 약이 필요하다. 지금 나에게 없는, 넉넉히 조제받아 서울 집 책상 서랍에 넣어둔 약봉지 속 한 포가. 장기 복용시 심장을 해친다는 경고를 의사로부터 받은, 그러나 유일하게 듣는 약이다.

*

떨리는 손으로 전기레인지에 주전자를 올린다. 마루의 불을 끄고 조도가 낮은 식탁 등만 남겨놓자 그제야 창밖 눈발이 보인다. 실내와 바깥 풍경이 유리 위에서 겹쳐 하나로 보인다. 공방 외벽에서 펄럭이는 방수포 자락과 검은 팔을 흔드는 나무 위로 삼나무

탁자와 텅 빈 새장이 포개진다.

물이 끓기 전에 머그잔에 따라 한 모금을, 다시 한 모금을 마신다. 그 따뜻한 것이 식도를 타고 내려가는 감각을 느끼며 싱크대 아래 눕는다. 반듯이 등을 펴고 심호흡을 한다. 욕지기가 다시 치밀지 않도록 모로 눕는다.

깊은 숨을 내쉴 때마다 통증이 물러난다. 들이마시면 다시 전진해와 안구 안쪽을 도려낸다. 깜박 잠들었다 통증 속에 깰 때마다 뼈들의 희끗한 형상이 파고든다. 인선의 마지막 영화가 끝나기 직전, 유골 수백 구가 묻힌 구덩이가 맥락도 설명도 없이 일 분 가까이 클로즈업되었던 장면이다. 무릎을 구부려 올린 사람의 유골, 삭은 천조각이 허리에 걸쳐진 유골, 작은 발뼈에 고무신이 신겨진 유골 들이 밭고랑 같은 구덩이 속에 포개져 있었다.

*

열이 오른다. 점점 더 몸이 떨린다. 살에 닿는 모든 게 차가워진다. 패딩 코트 소매의 겉감이 손목을 스칠 때마다 얼음 날에 베이는 것 같다. 패딩을 벗는다. 시계도 풀어 벽으로 밀어놓는다. 욕실 세면대로 가서 위액을 더 토한다. 입속을 헹구고 비누로 손을 씻는다. 새를 여미고 감쌌던 손, 흙을 파고 바닥을 골랐던 손, 봉분을 눌러 다졌던 손을 씻는다. 얼굴에도 더운물을 끼얹자 벌어진

상처에서 다시 피가 흐른다. 세면대로 상반신을 버티며 거울 속 피투성이 얼굴을 들여다본다.

차가웠지.

아니, 부드러웠지.

나는 고쳐 중얼거린다.

돌같이 단단했지.

입술을 뗄 때마다 피에 젖은 얼굴이 소리 없이 입을 벌린다.

아니, 솜같이 가벼웠지.

*

누군가 두드리는 것같이 현관문이 덜컹거린다. 뒤안으로 난 창도 흔들린다. 유리창에 비친 실내의 가구들 위로 눈발이 어지럽게 날린다. 통나무들을 고정한 밧줄들 사이로 방수포가 기구氣球처럼 부푼다.

식탁 등이 진저리치다 꺼진다. 먹물 같은 어둠이 실내와 창밖의 풍경을 동시에 지운다. 두 팔을 뻗어 허공을 더듬으며 나는 마루를 가로지른다. 짐작보다 벽이 멀리 있다. 마루의 천장등 스위치를 찾아 올린다. 불이 들어오지 않는다.

단전이구나.

폭설 때문에 전기와 수도가 끊기곤 한다고 인선이 말한 적 있었다. 복구 차량이 들어올 때까지 며칠을 기다려야 한다고, 이 집처럼 외딴곳에 위치한 가구들은 가장 나중에 복구된다고 했다.

단수까지 되기 전에 물을 받아놓아야 할 것 같다. 다시 두 팔로 어둠을 더듬어 나는 부엌으로 간다. 싱크대 하부장을 열고, 아까 보았던 기억과 손끝 감각에 의지해 냄비 두 개를 찾아낸다. 개수통과 조리대에 그것들을 올려놓는 찰나 무엇인가가 바닥에 떨어져 깨진다. 방금 물을 마신 머그컵 같다.

냄비에 수돗물을 받으며 생각한다.

보일러가 꺼졌으면 난방도 중단되겠구나.

물에 젖은 손으로 뜨거운 눈두덩을 덮고 나는 숨을 고른다. 욕지기가 가라앉을 때까지 쪼그려앉아 기다렸다가, 깨진 도기 조각들을 손바닥으로 쓸어 치우며 인선의 방을 향해 기어간다.

*

서랍장 맨 아래 서랍에서 인선의 스웨터를 찾아낸다. 색깔도 정확한 형태도 알 수 없는 그걸 내 스웨터 위로 덧입는다. 옷장을 열고 잡히는 대로 코트도 끌어내린다. 보풀이 일어난 겉면과 길쭉한 단추의 모양으로 미루어 낡은 더플코트 같다. 목까지 단추를 채우고 인선의 매트리스에 눕는다. 솜이불을 올려 쓴 채 오한을 견디며, 문과 창문이 덜컹댈 때마다 어둠을 향해 눈을 뜨고 생각한다.

누군가 정말 왔다면 다른 소리가 날 거다. 분명하게 노크하며 주인을 부를 거다. 저렇게 문틀을 부숴뜨리려는 듯 흔들 리 없다.

*

의식이 꺼지는 순간마다 예리한 꿈이 파고든다. 살얼음에 싸인 새를 두 손에 받쳐들고 나는 세면대로 간다. 수도꼭지에서 흐르는 더운 물줄기가 삽시간에 그 얼굴을 녹인다. 눈이 떠져 반짝이길 기다린다. 부리가 열리길 기다린다. *숨을 다시 쉴 거지, 아마. 심장이 다시 뛸 거지. 그렇지, 이 물을 마실 거지.*

하나의 꿈이 사그라들기 무섭게 다른 꿈이 송곳처럼 찌르며 들어온다. 거대한 얼음의 구체球體가 된 지구가 굉음을 내며 자전한다. 끓어 넘친 용암에 덮인 대륙들이 그대로 얼어붙은 거다. 영원히 내려앉을 수 없게 된 지면 위로 수만 마리 새들이 날고 있다. 활공하며 잠든다. 퍼뜩 깨어날 때마다 날개를 퍼덕인다. 번득이는 스케이트 날들처럼 허공을 그으며 미끄러진다.

*

노래할까, 아마?

내 물음이 채 끝나기 전에 새가 허밍을 시작한다. 아마가 어깨에서 노래하는 동안 나는 무릎을 꿇고 땅을 판다. 삽도 호미도 없다. 언 흙을 손가락으로 긁어낸다. 손톱이 깨지고 피가 흐를 때까지 계속한다. 허밍 소리가 별안간 그쳐 나는 고개를 든다. 건천에서 의식을 차렸을 때처럼 칠흑 같은 어둠 속에 축축한 눈송이가 떨어지고 있다. 이마에. 인중에. 입술에.

이를 부딪히며 정신이 들어, 이곳이 건천도 마당도 아닌 인선의 방이라는 걸 깨닫는다. 그 톱이 필요하다고 꿈과 생시 사이에서 생각한다. 이 모든 걸 물리치도록. 이 모든 게 나를 피해가도록.

잘 놀다 가세요.

인선의 어머니가 내 귀에 속삭인다. 내 두 손에 쥐여진 그의 손이 죽은 새처럼 작고 싸늘하다.

*

새들이 건강해 보이는 건 믿을 수 없어, 경하야.

끝까지 고개를 들고 횃대에 매달려 있다가, 떨어지면 이미 죽은 거야.

부서질 듯 문과 창문들이 덜컹거린다. 바람이 아닌지 모른다. 정말 누가 온 건지도 모른다. 집에 있는 사람을 끌어내려고. 찌르고 불태우려고. 과녁 옷을 입혀 나무에 묶으려고. 톱날 같은 소매를 휘두르는 저 검은 나무에.

*

죽으러 왔구나, 열에 들떠 나는 생각한다.
죽으려고 이곳에 왔어.

베어지고 구멍 뚫리려고, 목을 졸리고 불에 타려고 왔다.
불꽃을 뿜으며 무너져 앉을 이 집으로.
조각난 거인의 몸처럼 겹겹이 포개져 누운 나무들 곁으로.

2부

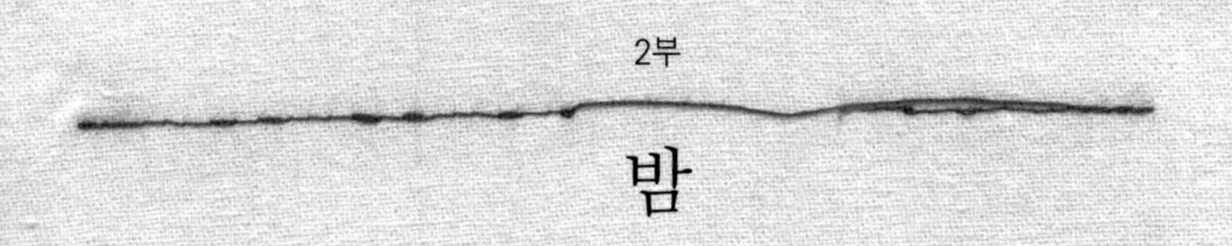

밤

1
작별하지 않는다

바다가 빠져나가고 있었다.

절벽처럼 일어선 파도가 해안을 덮치는 대신 힘차게 뒤로 밀려나갔다. 수평선을 향해 현무암 사막이 펼쳐졌다. 거대한 무덤 같은 바닷속 오름들이 검게 젖어 번쩍였다. 함께 쓸려가지 못한 수만 마리 물고기들이 비늘을 빛내며 뒤척였다. 상어나 고래의 것으로 보이는 흰 뼈들, 부서진 배들, 번들거리는 철근들, 너덜너덜한 돛에 감긴 널빤지들이 검은 암반 위로 흩어져 있었다.

더이상 바다가 보이지 않았다. 이제 섬이 아니구나, 검은 사막의 지평선을 보며 나는 생각했다.

나는 뒤를 돌아보았다. 눈 덮인 산봉우리로 이어지는 경사면들이 시야 가득 부챗살처럼 펼쳐져 있었다. 모든 나무들이 불에 탄

듯 검은빛을 띠었다. 잎사귀도 가지도 남지 않은 채 재의 기둥들처럼 묵묵히 서서 검은 사막을 내려다보고 있었다.

어떻게 된 거야.

어째선지 벌어지지 않는 입속의 압력을 느끼며 나는 생각했다.

왜 가지가 없어, 잎도 없어.

무시무시한 대답이 목구멍 안에서 도사리고 있었다.

죽었잖아.

그 말을 삼키기 위해 이를 악물었다. 퍼덕이는 새가 목구멍을 비집고 올라오는 통증을 견뎠다.

다 죽었잖아.

부리를 벌리고 발톱을 세운 그 말이 입안에 가득찼다. 꿈틀대는 솜 같은 그걸 뱉지 않은 채 나는 고개를 흔들었다.

*

온다.

떨어진다.

날린다.

흩뿌린다.

내린다.

퍼붓는다.

몰아친다.

쌓인다.

덮는다.

모두 지운다.

어떻게 악몽들이 나를 떠났는지 알 수 없었다. 그들과 싸워 이긴 건지, 그들이 나를 다 으깨고 지나간 건지 분명하지 않았다. 언젠가부터 눈꺼풀 안쪽으로 눈이 내렸을 뿐이다. 흩뿌리고 쌓이고 얼어붙었을 뿐이다.

눈꺼풀로 스며드는 회청색 빛 속에 나는 누워 있었다. 눈을 뜨자 서쪽 창이 올려다보였다. 뚜렷한 음영을 만들지 않는 흐린 날의 빛이 고요히 방을 밝히고 있었다. 벽에 걸린 인선의 검은색 긴 코트가 생각에 잠긴 듯 어깨를 수그리고 있었다.

열이 내려 있었다. 두통도, 구역질도 사라졌다. 마치 진경제를 주사 맞은 듯 몸의 모든 근육들이 이완되어 있었다. 눈 아래 찔린 자리가 더이상 욱신거리지 않았다.

매트리스 밖으로 팔을 뻗어 바닥을 만져보았다. 얼음처럼 찼다. 숨을 뱉자 흰 입김이 나왔다. 장판 바닥을 짚고 나는 일어섰다. 서랍장에서 털양말을 꺼내 신고, 벽에 걸린 인선의 묵직한 코트를 더플코트 위로 걸쳤다. 낡은 카디건을 안감 위로 손바느질해 덧댄, 서울에서부터 인선이 입고 다니던 코트였다. 양쪽 소맷단에 까만 보풀들이 물방울처럼 맺혀 있었다. 아직 완전히 마르지 않은 귤껍질이 오른쪽 주머니에서 나왔다. 덧입은 코트의 단추를 목까지 채우자, 숨을 들이마실 때마다 희미한 송진 냄새가 났다.

간밤에 제대로 닫지 않아 반쯤 열린 미닫이문의 문턱을 넘어 나는 마루로 걸어나갔다. 회청색 유리창 너머로 내리는 눈이 보였다. 수많은 흰 새들이 소리 없이 낙하하는 것 같은 함박눈이었다.

*

냉장고 위쪽 벽에 걸린 시계 바늘이 네시를 가리키고 있었다. 새벽 네시가 이만큼 밝을 리 없으니 오후 네시인 거다.

목이 말랐다.

싱크대 수전을 틀어보았지만 짐작대로 물이 나오지 않았다. 단전되자마자 냄비에 받았던 물이 다행히 깨끗했다. 입술 끝을 대고 한 모금을, 이어서 두 모금을 더 마셨다. 차가운 물이 몸속으로 번지는 걸 느끼며 잠시 서 있다가, 허리를 굽히고 깨진 머그컵 조각들을 쓸어모았다.

멀리까지 흩어졌을 조각들을 치우려면 빗자루와 쓰레받기가 필요했다. 인선이 현관에 두고 썼던 기억이 나 마루를 가로질러 걸었다. 중문 너머 신발장 위에 놓인 손전등이 먼저 눈에 들어왔다. 제법 묵직한 손전등의 스위치를 누르자 불이 들어왔다. 아직 주변이 밝아선지 광량이 충분해 보이지 않았다. 건전지가 닳은 걸까, 생각하며 어두운 마루를 빛의 기둥으로 훑어보다 숨을 멈췄다.

새가 우는 소리가 들렸기 때문이다.

창백한 광선의 기둥이 관통한 새장 속에서, 횃대에 발을 걸고 앉은 새가 한번 더 삐이, 울었다.

아마.

갈라져 나온 내 목소리가 정적 속에 흩어졌다.

너는 죽었잖아.

간밤 새를 꺼낸 뒤 잠그지 않아 반쯤 문이 열린 철망을 향해 나는 다가갔다. 간밤과 다름없이 쭉정이들이 흩어져 있었다. 물그릇도 여전히 바싹 말라 있었다. 아마의 정수리와 가슴에 돋은 짧은 흰 털이 솜처럼 부드러워 보였다. 새하얀 긴 깃털들에 윤기가 흘렸다. 고개를 외틀고 나를 탐색하는 두 눈은 젖은 약콩처럼 반들거렸다.

내가 너를 묻었는데, 어젯밤에.

꿈일까, 의심하며 나는 말했다. 그 순간을 기다린 듯 눈 아래 상처가 욱신거렸다. 털양말을 뚫고 스며드는 마룻바닥의 냉기가 얼음장 같았다. 생생하게 차가운 공기 속으로 숨을 내쉴 때마다 입김이 번졌다. 함박눈이 내리고 있는 창밖 마당을 나는 돌아봤다. 밤새 쌓인 눈을 갑옷처럼 둘러 본래 형상을 알아볼 수 없게 된 저 나무 아래 내가 너를 묻었다.

새가 돌아오는 것은 불가능했다. 내가 감싸고 여민 손수건을 비집고, 친친 감아 매듭지은 실을 풀고, 귀를 맞춰 닫은 알루미늄 통을 열고, 수건으로 감싼 뒤 십자로 묶었던 실을 끊는 것은. 얼어붙은 봉분과 그 위로 쌓인 눈을 뚫고 날아올라, 잠긴 문 안으로 들어와 철망 속 이 횃대에 앉는 것은.

삐이이, 아마가 다시 울었다. 여전히 고개를 외튼 채 젖은 약콩 같은 눈으로 나를 올려다봤다.

아마에게 물을 줘.

들리지 않는 인선의 음성에 복종하듯 나는 싱크대로 걸어갔다. 커다란 냄비의 물을 대접에 옮겨 담고, 걸음마다 물이 넘치는 대로 새장 앞으로 돌아왔다. 그릇에 물을 채우는 동안 아마는 꼼짝 않고 기다리고 있었다. 아직 물이 남은 대접을 들고 내가 한 걸음

물러섰을 때에야 퍼덕이며 날아올라 물그릇 앞 보조 횃대로 옮겨 앉았다.

*

목말랐니?

물 한 모금을 부리로 물었다가 허공을 올려다보며 삼키는 동작을 반복하는 아마를 지켜보다 나는 물었다. 동작을 멈춘 새가 고개를 외틀고 나를 보았다.

죽은 다음에도 배고픈 게 있어?

반들거리는 그 검은 눈의 표정을 결코 읽을 수 없다고 느꼈을 때 아마가 다시 머리를 수그렸다. 부리를 벌려 물 한 모금을 물고는 고개를 들어 삼켰다.

*

어둑한 냉장고 안쪽을 살피기 위해 나는 손전등을 켰다. 불린 찹쌀과 물에 잠긴 두부 반 모, 약간의 야채가 인선을 위한 음식의 전부였다. 새를 위한 것들은 훨씬 다양하고 정성스럽게 비축되어 있었다. 각기 다른 크기의 밀폐 유리병, 투명한 반찬통, 지퍼백 들에 색색의 펠릿, 좁쌀, 건포도와 말린 크랜베리, 호두와 아몬드 슬라이스가 담겨 있었다. 간식으로 주곤 하던 소면은 문 안쪽에 있었다. 열려 있는 한 봉엔 반나마 건국수가 남았고, 뜯지 않은 두 봉이 더 있었다.

무엇이 새의 주식일까? 끼니마다 이걸 모두 먹이는 건지, 두어 가지를 배합해 식사로 주고 어떤 것들은 따로 간식으로 주는지 알 수 없었다. 좁쌀과 말린 크랜베리와 호두를 골라 꺼냈을 때 새장 쪽에서 소리가 났다. 반쯤 열려 있던 새장 문을 아마가 부리로 밀고 나왔다. 푸드덕 소리를 내며 거의 천장에 부딪힐 만큼 날아올라, 허공에 커다란 동그라미를 그리고는 식탁에 내려앉았다.

새들에게 간식이 아닌 식사를 줄 때는 반드시 새장에서 먹게 해야 한다고 인선은 말했었다. 그러지 않으면 새장으로 들어가려 하지 않게 되고, 제시간에 재울 방법이 없게 되며 결국 모든 규칙이 깨진다는 거였다. 하지만 죽은 새도 그 규칙을 지켜야 할까?

나는 널찍한 도자기 접시를 싱크대 위쪽 선반에서 꺼내 좁쌀 한 움큼을 놓았다. 크랜베리는 촘촘하게 가위질을 해서 그 곁에 뿌렸다. 호두를 잘게 다져 접시 가운데 모아놓고, 간장종지에 물을 담아 접시 가장자리에 두었다.

먹어, 아마.

접시를 식탁에 내려놓으며 나는 말했다. 무언가 잘못되었다는 듯 아마가 삐이, 소리를 냈다.

괜찮아.

나는 말했다.

이리 와서 먹어.

새가 식탁 위를 걸어 접시로 다가왔다. 가장 먼저 좁쌀을 쪼아 먹고 물을 마셨다. 좁쌀 한 알에 물 한 모금, 좁쌀 두 알에 다시 한 모금, 크랜베리 한 조각에 물 두 모금을 마셨다.

너 배고팠구나.

그 말을 뱉은 순간 견딜 수 없는 허기가 밀려왔다. 지퍼백에서 건과일 한 주먹을 꺼내 입에 넣고 씹자 놀랄 만큼 달콤한 맛이 번졌다. 정전이 아니라면 전기레인지를 켜고 따뜻한 걸 만들어 먹을 텐데, 나는 생각했다. 쌀죽을 끓일 텐데. 대접 속 물에 잠긴 두부를 꺼내 노릇하게 부칠 텐데.

*

내 몫의 생두부와 호두를 작은 접시에 담아 새의 건너편에 놓고, 유리잔에 물을 따라 들고서 아마와 마주앉았다. 간수가 배어 짭짤한 두부를 한입 삼킨 뒤 새에게 물었다.

언제까지 눈이 올까?

간장종지에 담긴 물을 마시기 위해 수그린 아마의 머리가 알밤처럼 작고 둥글었다. 목덜미를 만지면 따뜻할 것 같았다. 아무래도 죽은 새 같지 않았다.

꿈이 아니지, 아마?

차츰 어두워지는 창밖 허공을 메우며 수직으로 떨어지고 있는 눈송이들을 나는 보았다. 밑동 아래 새가 묻힌 나무는 눈에 덮인 채 꼼짝도 하지 않았다.

이건 꿈이니?

더이상 먹지 않는 아마를 향해 나는 손을 내밀었다. 아무렇지 않은 걸음으로 새가 내 손바닥 위로 올라왔다. 가칠가칠한 발이 살갗에 닿은 순간, 심장과 눈동자에 동시에 불이 당겨진 듯 추위가 가셨다.

*

아마의 목덜미를 쓸었다. 더 쓸어달라고 목을 수그릴 때마다 더 깊게 쓸었다. 더, 더 쓸어달라고 아마가 더 깊게 목을 수그렸다. 더이상 아마가 머리를 수그리지 않을 때까지 쓸어주었다.

싫증이 난 듯 날아오른 아마가 창틀 위로 옮겨 앉았을 때, 가칠한 발이 방금 내 손바닥을 밀며 남긴 약간의 무게와 힘을 곱씹으며 나는 새를 건너다보았다.

거긴 추울 텐데, 아마.

나는 말했다.

바람이 다 새어들어올 텐데.

죽은 다음에도 추운 게 있나, 다음 순간 나는 생각했다. 배고픔이 있다면 추위도 있겠지. 공방에 있는 화목 난로가 생각난 것은 그때였다. 거기 불을 지피면 이곳보다 따뜻할 거다. 냄비를 가져가 죽을 끓일 수도 있다.

기다려, 아마.

식탁을 짚고 일어서며 나는 말했다.

불 피워놓고 올게.

아마가 창틀에서 날아올랐다. 식탁 위 갓등으로 옮겨와 앉으며 삐이이, 길게 울었다. 늘어뜨려진 전선이 흔들리는 대로 갓등 위에서 그네를 타는 아마를 향해 나는 웃었다.

금방 데리러 올 거야.

*

간밤 공방과 안채를 오가며 내가 내놓았던 발자국은 흔적도 남지 않았다. 눈을 뚫고 가려면 처음부터 다시 길을 내야 했다. 눈에 묻혀 자루 끝만 보이는 삽을 꺼내 털다 말고 나는 멈췄다. 살아오면서 보았던 눈송이 중 가장 커다란 것이 손등에 떨어졌기 때문이다.

막 내려앉은 순간 눈송이는 차갑지 않았다. 거의 살갗에 닿지도 않았다. 결정의 세부가 흐릿해지며 얼음이 되었을 때에야 미세한 압력과 부드러움이 느껴졌다. 얼음의 부피가 서서히 줄어들었다.

흰빛이 스러지며 물이 되어 살갗에 맺혔다. 마치 내 피부가 그 흰 빛을 빨아들여 물의 입자만 남겨놓은 것처럼.

어떤 것과도 닮지 않았다고 나는 생각했다. 이렇게 섬세한 조직을 가진 건 어디에도 없다. 이렇게 차갑고 가벼운 것은. 녹아 자신을 잃는 순간까지 부드러운 것은.

이상한 열정에 사로잡혀 나는 눈 한줌을 움켜쥐었다가 펼쳤다. 손바닥 위에 놓인 눈이 새털처럼 가벼웠다. 손바닥이 연한 분홍빛으로 부푸는 동안, 내 열기를 빨아들인 눈이 세상에서 가장 연한 얼음이 되었다.

잊지 않을 거라고 나는 생각했다. 이 부드러움을 잊지 않겠다.

그러나 이내 견딜 수 없이 차가워져 나는 손을 털었다. 흠뻑 젖은 손바닥을 코트 앞자락에 문질러 닦았다. 삽시간에 딱딱해진 손을 남은 손에 비볐다. 열기가 지펴지지 않았다. 몸속 온기가 모두 손을 통해 빠져나간 듯 가슴이 떨려왔다.

*

그사이 공방 뒷문 앞에 다시 쌓인 눈을 치우고 문고리를 비틀어 당기자, 어둠에 잠겨 있던 실내에 마당의 빛이 길게 드리워졌다. 빛을 등지고 들어서며 나는 손전등을 켰다. 내 팔의 움직임에 맞춰 흔들리는 광선이 난로를 향해 낸 길을 따라 바닥의 피를 밟지 않으려 조심하며 걸어들어갔다. 코드 뽑힌 전기 그라인더가 그림자를 펼친 작업대에 가까워졌을 때, 거무스름한 사람의 형체 같은 게 보여 얼어붙듯 멈춰 섰다.

검고 둥근 그 형상이 흔들리며 길어졌다. 웅크렸던 몸이 펼쳐지는 거다. 무릎이 펴지며 두 발이 땅을 디뎠다. 팔에 파묻혔던 얼굴이 나를 향했다.

……경하야.

잠에서 막 깨어난 것 같은 목소리가 정적에 찰과음을 냈다.

나도 모르게 손전등을 끄고 등뒤로 숨겼다. 바닥의 핏자국을 보게 해선 안 된다는 생각이 반사적으로 스쳐서다. 뒷문으로 들어온 회청색 빛이 인선의 얼굴을 어렴풋이 비춰, 손전등 없이도 표정을 알아볼 수 있었다.

언제 왔어?

병실에서만큼은 아니지만 창백하고 야윈 얼굴이었다. 눈을 비비는 그녀의 오른손이 상처 없이 깨끗한 것을 나는 보았다.

어떻게 온 거야, 연락도 없이?

어둠 때문에 더 커 보이는 인선의 두 눈이 내 얼굴을 뚫어지게 바라보았다.

얼굴은 왜 다쳤어?

나무에 긁혔어.

저런, 탄식하는 그녀의 눈이 어두워졌다.

왜 불이 꺼졌지?

낮은 목소리로 인선이 물었다. 혼잣말처럼 흐릿하게 덧붙여 중얼거렸다. *내가 끄지 않았는데.*

그녀의 미간에 깊게 그어진 주름을 보며 나는 말했다.

정전이야.

그걸 어떻게 알아?

대답을 듣고 싶지 않은 듯 그녀의 눈길이 내 얼굴을 비껴 뒷문 밖의 마당을 향했다.

언제 이렇게 눈이 내렸지?

내가 아니라 자신에게 묻는 것 같은 목소리였다. ……*꿈인가.*

점점 무거워지는 흰 새들처럼 낙하하는 눈송이들을 내다보며 그녀는 꼼짝 않고 서 있었다. 마침내 눈길을 돌려 나를 마주보는 그녀의 얼굴이 미묘하게 달라져 있는 것을 나는 알아차렸다. 지난 이십 년 동안 나에게 아껴뒀던 따스함이 한꺼번에 흘러나온 듯, 조용히 물기를 머금고 빛나는 눈이었다.

여기서 잠드는 일이 좀처럼 없는데, 왜 그렇게 잠이 쏟아졌는지 몰라.

부드럽게 불평하듯 그녀가 말했다. 추운 듯 두 팔로 자신의 어깨를 안으며 나에게 물었다.

춥지 않아?

낯익은 눈웃음이 어린 그녀의 눈가에 자잘한 주름이 패었다.

불 피울까?

화목 난로 아래쪽의 조그만 문을 열고 작은 나무토막들을 넣는 인선의 모습을 나는 묵묵히 지켜보았다. 그녀는 작업복으로 입는 낡은 청바지에 작업화를 신었고, 목까지 올라오는 회색 스웨터 위로 빳빳한 감색 앞치마를 둘렀다. 낯익은 검정색 솜 파카를 그 위로 걸치고 단추를 잠그지 않았는데, 소매가 작업에 거추장스러웠는지 두 단을 접어올려 깡마른 손목이 드러났다. 잘리지도, 꿰매어지지도, 피 흘리지도 않은 오른손으로 인선은 양동이에서 톱밥 두 줌을 덜어 나무토막들 위로 뿌렸다. 넓적한 팔각기둥 모양의 성냥 상자 옆면에 성냥 머리를 부딪치며 말했다.

서울에선 이제 이런 성냥 찾으려고 해도 없는데.

톱밥의 불이 나무토막으로 옮겨붙길 기다리는 인선의 옆얼굴이 침착하고 쓸쓸했다.

정류장 앞 점방에서 샀어. 몇십 년은 된 것 같은데 불은 잘 당겨져.

이내 솟아오른 불꽃의 빛이 그녀의 눈두덩과 콧날을 밝혔다.

*

여기 앉아.

하나뿐인 삼발이 의자를 난로 옆에 놓으며 인선이 말했다.

너는 어디 앉아?

대답 대신 인선은 작업대 위로 올라가 앉았다. 전동 톱날에 자신의 피가 묻은 걸 모르는 듯, 바닥에 닿을락 말락 하는 다리를 아이처럼 천천히 흔들었다.

나는 뒷짐을 지고 걸어가 의자에 걸터앉았다. 인선의 눈길이 난로에 머무는 동안, 여태 등뒤에 감추고 있던 손전등을 의자 아래 가만히 내려놓았다. 길게 가로누운 통나무의 잘린 면이 발끝에 닿았다. 그 곁의 핏자국 위로 들이친 눈이 녹으며 캄캄한 얼룩을 만들어놓았다.

난로 옆면에 눈동자들처럼 뚫린 두 개의 바람구멍을 나는 보았다. 불꽃이 그 속에서 일렁이고 있었다. 타닥, 나무토막에 불이 붙으며 수피가 갈라지는 소리가 났다.

네 생각을 많이 했어.

인선의 목소리에 나는 눈을 들었다. 그녀도 그 바람구멍 속을 보고 있었다.

하도 생각해서 어떤 날엔 꼭 같이 있는 것 같았어.

그녀의 눈동자에 비친 불꽃들이 소리 없이 흔들렸다. 아무것도 더 묻지 않는 그녀의 태도가 언제나처럼 고요하고 확고해서, 지금 내가 짐작하는 그녀의 생각이 맞는지도 모른다는 생각마저 들었다. 인선은 언제나처럼 이곳에서 나무 작업을 하고 있었을 뿐이고, 서울에서 내가 받은 문자와 이 섬에서 겪은 모든 것이 망자의 환상이었을 뿐이라고.

그러잖아도 너한테 보여주고 싶었는데.

벽면에 기대선 나무들을 가리키며 인선이 물었다.

어떤 것 같아?

솔직하게 나는 대답했다.

나는 사람의 키 정도를 생각했는데.

처음엔 그렇게도 해봤어.

스케일을 바꾼 이유를 이어 말해줄 거라고 생각했지만 그녀는 말을 아꼈다. 작업대 상판을 짚고 바닥으로 내려서며 가볍게 물었다.

차 마실까?

성큼성큼 작업장을 가로질러 숲 쪽으로 난 앞문을 향해 걸어가는 인선의 뒷모습을 나는 바라보았다.

정전되면 안채에서 고체연료를 쓰기도 하는데…… 아무래도 아마한텐 해로우니까 여기서 마시고 가자.

나에게서 멀어진 만큼 인선의 목소리가 높아졌다. 그녀가 앞문을 열자 한결 실내가 밝아졌다. 그 빛에 의지해 문 옆 조그만 냉장고의 불 꺼진 냉동실을 뒤적이며 인선은 모르는 노래의 한 소절을 허밍으로 불렀다. 시고 심심한 산열매를 또 끓이려는 걸까.

제목이 뭐야?

밀폐용기에 담긴 것을 나무 숟가락으로 덜어 주전자에 넣다 말고 인선이 물었다.

우리 프로젝트 말이야.

미소 띤 얼굴로 나를 돌아보며 그녀는 주전자에 생수를 부었다.

생각해보니 내가 제목을 묻지 않았어.

나는 대답했다.

작별하지 않는다.

주전자와 머그잔 두 개를 양손에 들고 걸어오며 인선이 되뇌었다. *작별하지 않는다.*

*

열린 양쪽 문으로 바람길이 통해, 난로의 바람구멍 안쪽으로 세차게 솟구쳐오르는 불꽃이 보였다. 검붉게 달아오른 난로 위에 인선이 주전자를 올렸다. 주전자에서 떨어진 물방울들이 삽시간에 증기가 되며 모래알 쓸리는 소리를 냈다.

말을 꺼내지도, 얼굴을 마주보지도 않은 채 우리는 앉아 있었다. 주전자 밑면에서 물 끓는 소리가 들리기 시작했을 때에야 인선이 침묵을 깨고 물었다.

작별인사만 하지 않는 거야, 정말 작별하지 않는 거야?

아직 주전자의 부리에서 김이 솟지 않았다. 비등점을 넘어서려면 더 기다려야 한다.

완성되지 않는 거야, 작별이?

흰 실타래 같은 증기가 주전자 부리로 새어나오기 시작했다. 맞물렸던 뚜껑이 달그락거리며 반쯤 열렸다 닫히길 반복했다.

미루는 거야, 작별을? 기한 없이?

앞문 너머로 보이는 숲의 아래쪽이 거의 검어졌다. 눈에 덮여 둥글고 부슬부슬한 윤곽선을 새로 얻은 나무 밑동들이 박명 속에 희미하게 빛났다.

저 어둠을 뚫고 갈 수 있을까, 나는 생각했다. 간밤과 달리 이제 나에겐 손전등이 있다. 하지만 그사이 눈이 더 쌓였다. 무사히 버스 정류장까지 간다 해도 P읍으로 나가는 버스가 다니지 않을 거다. 인선이 있는 병원에 연락하려면 불 켜진 집들의 문을 두드려 전화를 쓰게 해달라고 청해야 할 거다. 봉합한 신경이 끊어진 걸까, 나는 생각했다. 어깨를 절개한다던 수술을 받은 걸까. 마취가 잘못되었을까. 다른 의료사고가 있었나.

내 답을 듣기를 체념한 듯 인선이 오른손에 목장갑을 끼었다. 성난 듯 달그락거리는 주전자의 손잡이를 집어들고, 작업대에 나란히 놓은 두 개의 머그잔에 뜨거운 물을 부었다.

걱정했던 거 기억나?

먼저 부은 잔을 나에게 내밀며 인선이 물었다. 산오디가 아니었다. 연둣빛이 도는 맑은 차에서 풀냄새가 났다.

제주에도 충분히 눈이 오느냐고 네가 걱정했잖아.

자신의 잔을 들고 작업대에 기대서며 인선이 활짝 웃었다. 그 미소가 가시지 않은 입술이 찻잔에 닿는 걸 보며 나는 생각했다. 저렇게 뜨거운 것을 혼이 마실 수 있나.

무슨 차야?

나는 물었다.

조릿대 잎.

나도 잔에 입술을 댔다. 차 한 모금이 식도를 타고 내려간 순간 내가 얼마나 그걸 기다려왔는지 깨달았다. 혀끝을 델 만큼 뜨거운 걸 마시는 것. 그 열기가 식도와 위를 적시는 것.

어렸을 땐 온 식구가 물 대신 이걸 마셨어.

인선이 말했다.

산에서 조릿대 끊어오는 심부름도 많이 했어, 신경쇠약에 좋다고 해서.

잔에서 입술을 뗀 인선과 눈이 마주쳤을 때 나는 생각했다. 그녀의 뱃속에도 이 차가 퍼지고 있을까. 인선이 혼으로 찾아왔다면 나는 살아 있고, 인선이 살아 있다면 내가 혼으로 찾아온 것일 텐데. 이 뜨거움이 동시에 우리 몸속에 번질 수 있나.

*

숲을 향해 나는 흠칫 고개를 돌렸다. 나뭇가지 부러지는 소리가 들렸기 때문이다.

바람이 안 불어서 그래, 인선이 달래듯 말했다.

눈이 날리지 않으니까 무게를 못 이겨서.

청회색 박명이 나무들의 우듬지를 밝히고 있었다. 희미한 빛을 품은 함박눈이 계속해서 그 위로 떨어져내렸다.

나는 더 차를 마셨다. 위가 뜨겁게 채워질수록 수그렸던 어깨가 펴지고 허리가 곧아졌다. 반쯤 차가 남은 잔을 들고 자세를 바로 하며 나는 말했다.

……나도 궁금한 게 있었는데.

인선이 어깨를 앞으로 기울였다. 내 말을 집중해 들으려는 것이다.

어떻게 지낼 수 있었어?

인선의 몸이 좀더 앞으로 기울어졌다.

이곳에서 혼자 말이야.

미소 띤 얼굴로 그녀가 되물었다.

이곳이 어떤데?

가로등도 이웃도 없는 집에서 말이야. 눈이 내리면 고립되고 전기와 물이 끊기는 집 말이야. 밤새 팔을 휘두르며 전진해오는 나무가 있는 곳, 내 하나만 건너면 몰살되고 불탄 마을이 있는 곳 말이야.

나는 그런 말을 하지 않았으므로, 앞서 내가 했던 말을 조용히 반박하듯 인선이 말했다.

혼자가 아닌데, 나는.

고요한 사랑의 빛이 그녀의 얼굴에 어리는 것을 나는 보았다.

아마가 있잖아.

그 빛이 꺼지는 듯하다 잔불처럼 쓸쓸히 되살아났다.

아미는 죽었어, 여러 달 전에. 아마는 사흘을 물만 먹었어. 그렇게 좋아하던 오디도 안 먹었어.

인선이 잠시 말을 끊었다.

아침까지 분명히 괜찮았는데, 저녁에 안채로 돌아가서 보니 이상하게 아미 눈이 흐렸어. 그길로 병원에 데려갔는데 하루를 못 넘겼어.

숲에서 흘러들어오는 박명이 빠르게 검어지고 있었다. 어두워질수록 난로의 바람구멍들이 선명히 붉어졌다.

왜 나한테까지 아무렇지 않은 척한 걸까? 아프다 해도 나는 천적이 아닌데.

두 개의 그 붉은 구멍을 응시하며 그녀가 말을 이었다. 눈동자 같은 그것들을 지켜보면 뜨거운 말이 쇳물같이 흘러나오기라도 할 것처럼.

우린 대화를 나눴어, 너도 봤지.

작업대에서 내려서며 인선이 물었다.

사실은 어떤 말도 나눠진 적 없었던 걸까? 새는 새였고, 나는 인간이었을 뿐일까?

그녀는 익숙한 동작으로 다시 목장갑을 끼고 난로의 달궈진 문을 열었다. 부지깽이로 나무토막들을 뒤집자 불티가 튀었다. 불꽃의 열기가 내 얼굴까지 끼쳐왔다.

하지만 모든 게 끝난 건 아니야.

인선의 목소리가 그 열기 사이로 번졌다.

정말 헤어진 건 아니야, 아직은.

*

어떻게 위로할지 알 수 없어 나는 나지막이 물었다.

어디에 묻었어?

선홍빛으로 달궈진 난로의 문을 닫으며 인선이 대답했다.

마당에.

마당 어디?

나무 아래.

눈을 들어 창이 없는 마당 쪽 벽을 보며 그녀가 말했다.

네가 사람 같다고 했던 나무 있잖아.

눈 속 무덤을 내 손으로 파헤쳤을지도 모른다는 걸 나는 깨달았다. 삭은 뼈들을 내가 삽으로 부수고 손갈퀴로 흐트러뜨렸는지도 모른다.

*

인선이 손을 내밀었을 때, 악수를 청하는 거라고 나는 잠시 착각했다. 그러나 빈 잔을 달라는 거였다. 나에게서 받아든 잔과 자신이 마시던 잔을 겹쳐 작업대에 내려놓으며 그녀는 말했다.

이렇게 두고 가자.

오늘 우리 몸이 닿지 않았다는 것을 그때에야 나는 알았다. 오랜만에 만나면 언제나 서로 어깨를 안았다. 이게 얼마 만이야, 어떻게 지냈어, 인사를 나누는 동안엔 손을 잡고 있었다. 오늘 우리는 자신도 모르게 거리를 두고 있었나. 몸이 닿는 순간 상대의 죽음에 전염될 것처럼.

콩죽 먹을래?

앞문으로 걸어간 인선이 푸르스름한 바깥을 등지고 물었다.

너 그거 좋아하잖아.

인선이 등뒤로 손을 뻗어 문을 닫자, 그녀의 표정을 읽을 수 없을 만큼 사위가 어두워졌다.

미리 콩을 불려놔야 끓일 수 있는 거 아니야?

몸을 돌려 잠금쇠를 거는 그녀를 향해 나는 물었다.

불려서 얼려놓은 게 있어. 정전이라 믹서기를 못 쓰니까 콩이 씹힐 텐데, 그것도 맛있어.

인선이 성큼성큼 앞장서는 대로 나는 뒷문을 향해 걸었다. 그녀의 발이 디딘 곳으로만 걸으니 신기하게도 어떤 나무에도 부딪히지 않았고 피를 밟지도 않았다. 그녀를 따라 문을 나서기 전에 나는 난로를 돌아보았다. 달궈진 옆면에 뚫린 두 개의 붉은 구멍이 여전히 눈동자들처럼 이글거리고 있었다.

어둑한 문밖에서 인선은 눈을 맞으며 나를 기다리고 있었다. 눈송이들이 깃털처럼 천천히 떨어지고 있어서, 사라지고 있는 박명 속에서도 결정들의 형상이 보였다.

2
그림자들

현관문을 조심스럽게 열며 인선이 나를 돌아보았다. 집게손가락을 입술에 대고 말했다.

아마는 잠들었을 거야. 깨우지 말자.

열린 문으로 들어오는 박명에 의지해 신발장을 열고 안쪽 선반을 더듬는 인선의 옆모습을 나는 문밖에서 지켜보았다.

랜턴이 어디 갔지?

낙심한 아이처럼 혼잣말하던 그녀가 숨죽여 탄성을 질렀다.

아! 초가 있어.

빛을 받으려고 인선이 내 쪽으로 돌아섰다. 어디선가 사은품으로 받은 듯한 조그만 성냥갑에서 성냥개비를 꺼냈다. 마찰음과 함께 불꽃이 일었다. 새 양초 심지로 불꽃을 옮긴 인선이 성냥개비를 흔들어 껐다.

들어와.

작업화를 벗고 마루로 올라서며 그녀가 속삭여 말했다.

현관문을 닫고 그녀를 따라 마루 위로 올라섰다. 빛이 아니지만 아직 완전한 어둠이라고도 부를 수 없는 그늘이 유리창으로 스며 들어오고 있었다. 수천의 눈송이들이 그 그늘을 머금은 채 떨어져 내렸다.

아마가 앉아 그네를 탔던 식탁 위 갓등을 나는 올려다봤다. 새장으로 돌아간 걸까. 인선의 말대로 잠들었을까. 죽어도 다시 잠드는 게 있나.

인선은 허리를 수그리고 부엌의 식탁 위에 촛농을 떨어뜨리는 일에 골몰하고 있었다. 촛농이 충분히 모이자 그 위로 초를 눌러 세웠고, 촛농이 우윳빛으로 굳기를 기다리며 붙잡고 있었다.

경하야.

고개를 들지 않은 채 그녀가 나직이 나를 불렀다.

새장 좀 덮어줄래?

발뒤꿈치를 들고 나는 새장으로 다가갔다. 아마가 부리로 열고 나왔던 대로 문이 열려 있었다. 흩어진 쭉정이들과 반쯤 채워진 물 말고는 아무것도 없었다. 탁자 모서리에 걸린 암막 천을 펼쳐 빈 철망을 덮었을 때 인선이 물었다.

잘 자고 있지?

*

나는 부엌으로 걸어갔다. 아무 일 없는 듯 식탁 의자에 걸터앉았다. 어느 저녁 우연히 친구 집에 들렀을 뿐인 것처럼. 인선도 아무 일 없는 듯 캄캄한 냉동실을 뒤적이고 있었다. 갑자기 찾아온 친구에게 어떻게 저녁을 대접할지가 유일하게 마음 쓰이는 일인 것처럼.

찰랑이는 촛물을 심지로 빨아들이며 타오르는 불꽃을 나는 보았다. 공방 난로의 격렬하던 불꽃과 비교할 수 없이 작고 고요한 것이었다. 너울대는 불꽃 안쪽에서 파르스름한 심부가 흔들리고 있었다. 맥이 뛰는 씨앗 같았다. 가물거리는 주황빛 가장자리까지 고동이 번지는 것 같았다.

그 속에 손을 넣어봤던 기억이 떠오른 건 그때였다. 오래 잊고 있던 것이었다. 초등학교 졸업반 가을, 화기를 조심하라는 당부를 남기고 특활 선생님이 잠시 과학실을 비운 사이 아이들 중 누군가가 말했다. 알코올램프 불꽃을 아주 빨리 손가락으로 통과하면 뜨겁지도 아프지도 않다고. 용기를 증명하고 싶은 아이들이 줄을 서서 두려움을 감추며, 때로 숨기지 못하며 불속에 손끝을 넣었다가 재빨리 빼냈다. 마침내 내 차례가 되어 집게손가락으로 불꽃을 통과했을 때, 그것의 내부는 믿을 수 없이 부드러운 감촉과 솟아오르는 압력을 지니고 있었다. 음미하는 일이 허락되지 않는 찰나의 감각이어서, 기억하기 위해선 여러 차례 더 빠르게 반복해야 했다. 각질과 표피를 건너 예리한 화기가 진피로 스며들기 직전까지.

그때로 돌아간 듯 나는 손을 뻗었다. 지상의 것 같지 않은 부드러움이 찰나에 살갗을 에워쌌다. 방금 중심을 가르고 나온 손가락으로 한번 더 불꽃을 통과하려는 찰나, 무엇인가 마루 쪽 시야에 어른거려 나는 얼굴을 들었다.

*

새 그림자가 흰 벽 위로 소리 없이 날고 있었다. 예닐곱 살 아이의 몸피만큼 커진 그림자였다. 꿈틀거리는 날개 근육과 반투명한 깃털들의 세부가 확대경을 통과한 것처럼 선명했다.

이 집에 존재하는 광원은 내 앞의 촛불뿐이었다. 저 그림자가 생기려면 촛불과 벽 사이로 새가 날고 있어야 한다.

괜찮아.

인선의 또렷한 목소리를 향해 나는 고개를 돌렸다.

아미가 온 거야.

싱크대에 허리를 기대고 선 그녀의 자세가 갑자기 무너질 듯 피로해 보였다.

늘 오진 않는데 오늘 왔네.

촛불의 빛이 인선의 얼굴에 거의 닿지 않았다. 이목구비의 윤곽이 어둠에 뭉개어져, 마치 낯선 사람의 희끗하고 무표정한 얼굴처럼 보였다.

몇 초 만에 가버릴 때도 있고, 날이 밝을 때까지 머무르기도 해.

그걸로 충분한 설명이 되었다는 듯 인선이 등을 보였다. 수전 손잡이를 젖혀보고는 들릴 듯 말 듯 한 소리로 불평했다.

……물도 안 나오네.

창밖 박명이 완전히 사라졌다. 푸르스름한 잿빛을 머금고 낙하하던 눈송이들이 더이상 보이지 않았다. 간밤 내가 아마를 묻었고 여러 달 전 인선이 아미를 묻은 나무도 칠흑 같은 어둠에 지워졌다.

소리가 들린 건 그때였다.

헝겊들이 서로 스치는 것 같은, 젖은 흙덩이가 손가락 사이로 부서지는 것 같은 소리가 어디선가 새어나왔다. 인선의 것과 닮은 소리였다. 지금 내 곁에 있는 그녀가 아니라 서울의 병실에 누운 인선이, 손이 아니라 성대를 다친 듯 목을 울리지 않으며 내던 무성음과 어딘가 흡사했다.

의자를 뒤로 밀고 나는 일어섰다. 날아오르려는 것인지 내려앉고 있는지 알 수 없는, 서까래와 마루 사이에 영원히 갇힌 듯 퍼덕이는 그림자를 향해 발을 내디뎠다. 촛불과 그림자 사이 새의 육체가 있어야 할 허공을 향해 손을 뻗었다.

아니.

무성음들이 포개지며 한마디 말처럼 들렸다.

……아니, 아니.

환청인가, 의심하는 찰나 단어가 부스러져 흩어졌다. 헝겊 스치는 소리가 잔향을 끌고 사라졌다.

*

어느 사이 인선이 식탁 앞에 앉아 있었다. 가까워진 촛불의 빛이 눈동자에 어려서인지 갑자기 생기 있어 보이는 얼굴이었다. 방금까지 피로한 듯 싱크대에 기대서 있던 사람 같지 않았다.

작년 가을에 내가 왔을 때……

내가 말을 뗀 순간 그 생기가 그녀의 얼굴에서 사라졌다.

그때도 아미가 저 말을 했는데.

추운 듯 인선이 두 손으로 촛불을 감쌌다. 불빛이 스며든 손들이 붉어졌다. 빛이 가려진 만큼 주변은 어두워졌다.

너한테서 배운 말이야?

모아 붙이고 있던 손가락들을 인선이 펼치자, 피처럼 밝은 빛이 관절들을 적시며 손가락 사이로 새어나왔다.

아마 그렇지 않을까?

인선이 되물으며 촛불에서 손을 거둬들이자 한꺼번에 빠져나온 빛이 그녀의 얼굴을 밝혔다.

오래 혼자 있으면 혼잣말을 하게 되잖아.

동의를 구하는 듯 고개를 끄덕이며 인선이 말을 이었다.

어떤 말을 중얼거린 다음에, 그걸 부인하려고 좀더 큰 소리로 아니라고 말하는 버릇이 생겼어.

나는 캐묻지도 강요하지도 않았는데, 정확히 대답해야만 하는 의무를 부과받은 듯 그녀는 신중하게 다음 말을 골랐다.

혼이 들어선 안 되는 말, 정말로 혼들이 들어줄지 모를 소원…… 그런 걸 뱉은 다음에, 종이에 쓴 걸 찢어버리듯이.

연필을 힘껏 눌러써서 종이에 자국을 남기듯 인선의 음성이 분명해졌다.

그러니까 아미한테는 뒤의 말만 제대로 들렸을 거야. 내가 그렇게 우는 동물인 줄 알고 따라 했는지도 모르지.

*

그 소원이 뭔지 나는 묻지 않았다. 내가 아는 것이란 생각이 들었기 때문이다. 내가 싸우는 것. 날마다 썼다 찢는 것. 화살촉처럼 오목가슴에 박혀 있는 것.

연필 있어?

내 물음에 인선이 앞치마 주머니에서 샤프펜슬을 빼내 건넸다. 그걸 받아 쥐고, 등뒤 촛불이 너울대는 대로 흔들리는 내 그림자를 앞세워 나는 마루를 건넜다. 벽이 가까워질수록 새와 나의 그림자 사이가 좁혀졌다. 닿는가 싶더니 어슷하게 포개어졌다.

샤프펜슬을 쥔 손을 내 그림자 밖으로 뻗었다. 계속해서 얼굴의 각도가 바뀌는 새의 윤곽을 따라 벽에 선을 그었다. 새는 양안시가 아니기 때문에 자꾸 얼굴을 움직여 전체의 상을 보는 거라고 했다. 무엇을 보려고 하는 걸까. 그림자만 남아도 보고 싶은 게 있나.

힘주어 그은 것 같지 않은데 자꾸 심이 부러졌다. 그림자에 덮인 서늘한 벽을 손바닥으로 짚고 옆으로 걸으며, 샤프펜슬의 꼭지를 거푸 눌러 새 심이 나오게 하며 나는 계속 선을 그었다. 새의 머리 윗부분을 그리기 위해서는 발뒤꿈치를 세우고 힘껏 팔을 뻗어야 했다. 그러다 내가 그리고 있는 윤곽선 바깥으로 다른 선을 발견했다. 작년 가을 내가 그어놓은 연필 선이었다. 분명하지 않지만 아마의 머리 부분 같았다. 길고 완만하게 인선의 어깨 윤곽을 따라 그렸던 선은 새 그림자에 덮여 보이지 않았다. 날이 밝은 뒤 이 벽을 본다면 교차되고 겹쳐진 선들 때문에 아무것도 알아볼 수 없을 거란 생각이 그제야 들었다.

더이상 샤프펜슬에서 심이 나오지 않았다. 두려움을 느끼며 나는 부엌을 향해 돌아섰다. 인선이 있어야 할 의자가 천에 덮인 새장처럼 고요했기 때문이다.

그러나 어둠에 잠긴 인선의 어깨가 보였다. 규칙적인 작은 숨소리가 촛불 뒤 고요에서 새어나왔다. 서늘하게 비어 있는 건 오히려 내가 앉았던 의자였다.

벽을 돌아보자, 방금 내가 그린 선으로부터 몸을 뒤틀어 벗어나려는 듯 새 그림자가 일렁이고 있었다. 검은 윤곽이 천장까지 솟구쳐 번졌다. 활공하려는 순간처럼 날개가 펼쳐졌다. 삐이이, 희미하게 우는 소리가 허공에서 울리다 사라졌다.

아마가 돌아왔나.

천에 덮인 새장을 보며 나는 생각했다.

아마가 어디 있나.

*

돌아와 앉자 식탁 위의 초가 미세히 짧아져 있었다. 서너 가닥의 촛농 줄기들이 초의 기둥으로 흘러 맺혀 있었다.

……누군가 더 있는 것 같을 때가 있어.

작은 돌기들 같은 그 촛농 방울들로부터 눈을 들며 인선이 말했다.

뭔가가 더 남아 있어, 아미가 이렇게 있다 가고 나도.

그녀의 물음이 뒤따라 정적을 건너왔다.

너도 그럴 때가 있어?

인선이 앞으로 어깨를 기울이자 천장으로 드리워진 그녀의 그림자가 함께 출렁였다. 그녀의 호흡에 맞춰 부풀었다 잦아드는 그것의 움직임을 의식하며 나는 대답 대신 물었다.

언제부터 그랬어?

집중할 때면 습관적으로 파이는 인선의 이마 가운데 주름을 나는 보았다. 달수를 헤아리고 있는 걸까, 아니면 햇수를? 불꽃 아래 찰랑이며 고여 있던 투명한 촛물이 한순간 넘쳐흘렀다. 삽시간에 희어지며 새로 돋친 돌기들처럼 기둥에 맺혔다.

*

뼈들을 본 뒤부터야.

인선이 말했다.

……만주에서 돌아오던 비행기에서.

예상치 못한 대답이었다. 아미가 죽은 다음이거나 어머니가 돌아가신 뒤일 거라고 짐작했다. 만주 촬영이라면 벌써 십 년 전, 인선이 후암동에 살던 때다.

그 가을에 유골들이 발굴됐어.

어디에서?

나는 물었다.

제주공항, 하고 대답하며 인선이 목소리를 낮췄다.

……활주로 아래에서.

너도 기억하니, 라고 묻는 것 같은 그녀의 눈을 나는 잠자코 마주보았다. 정확한 연도를 잊었지만 그 기사를 읽었다. 접근 금지선이 둘러져 있던 구덩이의 사진도 기억하고 있다.

비행기 앞문에 비치된 신문을 골라 들고 자리에 앉았는데, 1면 아래쪽에 현장 사진이 실려 있었어.

*

어느 사이 바람이 일기 시작한 것을, 소리보다 먼저 촛불의 움직임으로 나는 알았다.

마루를 돌아보자 새 그림자가 사라지고 없었다. 움직이는 새의 얼굴을 따라 내가 윤곽선을 그었던 벽이, 거리와 어둠 때문이겠지만 흔적없이 비어 있는 것처럼 보였다.

인선의 눈길도 그 벽을 향한 것을 나는 보았다. 그녀가 불쑥 일어설 것 같다고, 성큼성큼 마루로 건너갈 것 같다고 느꼈다. 새장을 덮은 천을 벗기고 나에게 묻기 위해. 아마가 어디 있는지. 왜 구하지 못했는지.

그러나 일어서는 대신 인선은 자신의 눈앞으로 두 손을 들어올렸다. 미처 발견 못한 상처나 흉터가 있는지 살피려는 듯 뒤집어가며 찬찬히 들여다보았다.

3
바람

구덩이 가장자리에 있던 유골 한 구가 이상하게 눈에 들어왔어.

다른 유골들은 대개 두개골이 아래를 향하고 다리뼈들이 펼쳐진 채 엎드려 있었는데, 그 유골만은 구덩이 벽을 향해 모로 누워서 깊게 무릎을 구부리고 있었어. 잠들기 어려울 때, 몸이 아프거나 마음이 쓰일 때 우리가 그렇게 하는 것처럼.

구덩이들을 향해 열 명씩 세워졌을 거라는 추정 기사가 사진 아래 실려 있었어. 뒤에서 총을 쏘아 구덩이로 떨어지게 하고, 다음 차례의 사람들을 다시 줄 세워 쏘기를 반복했을 거라고.

그 유골만 다른 자세를 하고 있는 이유가, 흙에 덮이는 순간 숨

이 붙어 있었기 때문이란 생각이 그때 들었어. 그 유골의 발뼈에만 고무신이 제대로 신겨 있는 것도 그 때문이었을 거라고. 고무신도, 전체 골격도 크지 않은 걸 보면 여자거나 십대 중반의 남자인 것 같았어.

나도 모르게 그 신문을 접어서 배낭에 넣었어. 집에 돌아가 짐을 풀면서는 사진만 오려 책상 앞서랍에 넣었어. 밤에 꺼내 보기엔 잔인한 사진이어서, 햇빛이 밝은 오후에만 서랍을 열고 들여다보다 닫았어. 겨울이 되면서는 흉내내듯 책상 아래 모로 누워 무릎을 구부려보기도 했어.

이상한 건, 그러고 있으면 어느 순간 방의 온도가 달라지는 것처럼 느껴졌던 거야. 겨울 볕이 깊게 들거나 온돌 바닥이 데워져서 퍼지는 온기와는 달랐어. 따스한 기체의 덩어리 같은 게 방을 채우는 게 느껴졌어. 솜이나 깃털, 아기들 살을 만지고 나면 손에 부드러움이 남잖아. 그 감각을 압착해서 증류하면 번질 것 같은……

그 사람에 대한 이야기로 다음 영화를 만들겠다고 생각한 건 그렇게 해가 바뀌었을 때였어. 이름은 물론 성별도 당시 나이도 모르는 사람. 조금 가는 골격에 작은 사이즈의 고무신을 신은, 전쟁 발발 직후 제주에서 예비검속돼 총살된 천여 명 중 한 사람.

그가 만약 십대였다면 출생 연도가 엄마와 얼추 비슷할 것 같았어. 두 사람의 그후에 대해 다루면 되겠다는 계획이 섰어. 한 사람은 날마다 수십 차례 비행기들이 이착륙하는 활주로 아래서 흔들리며, 다른 한 사람은 이 외딴집에서 솜요 아래 실톱을 깔고 보낸 육십 년에 대해서.

그 사람에 대해 알아가는 과정을 뼈대로 삼기로 했어. 가장 먼저 사진을 발굴 팀에게 보여주고, 유골과 고무신이 보관된 장소를 묻는 것부터 시작할 생각이었어. 백여 구의 유골들 중 오십 구 가까운 이들의 친족을 유전자 검사로 확인하고 있다는 후속 뉴스를 읽은 참이어서, 그중 한 명이 그일 가능성도 염두에 뒀어. 그렇다면 그의 유족을 다음 순서로 인터뷰할 수 있겠지.

그전에 먼저 엄마와 간단한 인터뷰를 하려고 장비를 들고 집에 내려왔어. 겨울 수확이 어떻게 마무리되고 있는지, 잠은 전보다 잘 자는지 같은 소소한 대화를 영화의 인트로로 할 계획이었어. 엄마를 노출하고 싶지는 않았어. 누군지 알아볼 수 없도록 귀밑머리와 목덜미와 두 손만 보이게 할 생각이었어. 러닝타임 내내 엄마의 전체 모습은 오직 하나, 녹슨 실톱을 숨긴 요 위에 모로 누워 잠든 뒷모습으로 충분하다고 생각했어.

아침 비행기에서 내려 버스를 타고 집에 도착하니 정오가 채 되지 않았어.

마을로 내려가 품앗이로 개량종 귤을 수확하는 엄마는 저녁에 나 돌아올 거여서, 다음날 할 인터뷰를 혼자 미리 준비했어. 마땅한 자리를 찾다가 창고 회벽 앞에 의자를 놓아봤어. 카메라와 마이크를 설치하고, 테스트 삼아 거기 앉아 말을 시작했어.

동굴과 아버지에 대한 생각을 하고 있지 않았어. 평소에 떠올렸던 일도 아니었어. 왜 그 이야기를 시작하고 있는지 스스로 이해할 수 없었어. 멈출 수 없었고, 그렇다고 물 흐르듯 계속할 수도 없었어. 저 벽 아래에서, 장비가 한 번에 찍을 수 있는 시간을 그렇게 더듬거리며 다 썼어. 그 일을 한번 더, 다시 한번 더 반복했어.

계획과 다르게 되어가고 있다는 걸 그날 밤 잠을 청하면서 알았어. 엄마에게 인터뷰 이야기를 꺼내지 않았고, 대신 다음날 새벽 이마에 카메라를 달고 그 마을에 갔어. 전에 너에게 이야기했지, 폐촌된 내 너머 마을에.

지척에서 자랐고 건천 기슭까지는 여러 번 가봤지만 내를 건넌 건 그날이 처음이었어. 짐작과 달리 마을에는 돌담들이 남아 있지 않았어. 하지만 담 없이도 집들과 길들의 구획을 알아볼 수 있었어. 길과 집이 있던 곳에만 나무가 자라지 않고 있었으니까. 좁은 올레를 끼고 있는 모든 집터들이 아늑해 보였어. 뒷마당 대나무 숲의 우듬지가 끝없이 하늘을 향해 자라난, 당시로선 꽤 큰 집이 있었을 것 같은 집터들도 보였어.

거기서 아버지의 집터를 찾는 건 불가능했어.

주소도 지적도도 없었으니까.

마을 어느 쪽에 위치했는지, 어느 정도 크기였는지도 들은 적이 없었으니까.

*

무엇인가 마당에서 바람에 쓰러지며 둔한 쇳소리를 낸다. 공방 뒷문 옆에 내가 세워둔 삽 같다. 그 진동에 반응하듯 굵은 구슬 같은 촛농이 초를 타고 흘러내린다.

바람소리가 거세어질수록 촛불의 움직임이 격렬해진다. 보이지 않는 물체가 불꽃과 천장 사이에 있기라도 한 듯, 기어이 그것에 닿아 사르려는 듯 수직으로 뻗어오른다. 저렇게 긴 불꽃이라면 손가락 하나가 아니라 손 전부로 중심을 통과할 수도 있을 거다.

집안의 모든 창문들이 창틀과 부딪혀 덜컹이는 소리를 들으며 나는 생각한다. 마당 가운데 나무를 덮었던 눈이 날아갔겠구나. 커다란 양치잎 같은 가지들이 되살아나 펄럭이고 있을 거다. 공방 앞문 밖으로 펼쳐진 숲의 아름드리나무들도 눈가루를 털어내며 흔들리고 있을 거다.

*

그해에 아버지는 열아홉 살이었어.

열두 살부터 젖먹이까지 여동생 셋, 남동생 하나가 있었는데, 아버지가 가장 사랑한 건 그해 정초에 태어난 막내 여동생이었어. 은영이라는 이름도 아버지가 지었대. 학영, 숙영, 진영, 희영 다음으로 순영이라고 이름 붙이려는 할아버지를 만류하면서. 안 그래도 순한 아기가 이름 따라 더 무르게 자라면 어쩌려느냐고.

밑단에 시보리가 달린 점퍼를 겨울 교복 위에 입으라고 할머니가 사주었는데, 봄에 동맹휴학을 할 때 아버지는 하숙비를 아끼려고 짐을 싸서 돌아와서는 그 점퍼 속에 아기를 넣고 다녔대. 친구를 만나면 지퍼 위쪽을 열고 솜털 같은 머리카락을 보여주려고. 아기가 조그만 손을 뻗어올려 셔츠 깃을 움켜쥐는 걸 보고 여자애들이 감탄하는 걸 들으려고. 떨어뜨리면 어쩌려느냐고 할머니가 나무라면, 꼭 안고 다니니 걱정 말라고 했대. 넘어질 것 같으면 얼른 뒤로 자빠져버릴 테니 아기는 아무 일 없다고.

산 위 무장대 삼백 명과 내통할 수 있다고 군경에게 의심받을 나이의 남자는 맏아들뿐이어서, 할머니와 할아버지는 오직 아버지만 걱정했어. 이북 사투리를 쓰는 경찰들이 마을마다 들이닥쳐

서 젊은 남자들을 잡아가 실적을 올린다는 소문이 파다했으니까. 일제 때 부역하던 고등계 형사들이 그대로 남아 해방 전에 하던 대로 고문을 한다고, 그렇게 읍내 경찰서에서 죽은 고등학생이 있다는 이야기를 할아버지가 듣고 온 뒤로는 아버지 혼자 동굴에 숨어 지내게 했대. 동굴에서 아버지는 낮엔 호롱불을 켜고 책을 읽고 공부를 하고—시국이 지나가면 서울에 있는 대학에 시험을 쳐 보고 싶다고 생각했대—, 해가 지면 빛이 새어나가지 않도록 불을 끄고 앉아 있었어. 자정 녘에야 집에 들러 식은밥을 먹고 눈을 붙이고, 찐 감자 서너 알이랑 종이에 싼 소금 한 첩을 동트기 전에 싸 들고 다시 동굴로 올라갔대.

그 11월 밤에도 아버지는 언제나처럼 동굴을 나와 집으로 오는 길이었어. 건천을 건너는데 호루라기 소리가 들리며 별안간 사위가 밝아졌대. 집들이 불타기 시작한 거야.

어디로도 움직여선 안 된다는 걸 아버지는 본능적으로 알았어. 건천 기슭 대숲에 몸을 숨기고 있는데 마을 공터 쪽에서 일곱 발 총성이 울렸대. 뒤이어 군인들이 호각을 불며 사람들을 이동시키는 걸 아버지는 숲 사이로 지켜봤어. 먼 거리였지만 손을 잡고 걷는 두 동생을 알아보았대. 더 어린 아이들을 앞세워 걸리거나 아기를 업은 여자들, 허리가 굽은 노인들이 넘어지거나 빨리 걷지 못해 자꾸 행렬이 지체됐는데, 그때마다 군인들이 호루라기를 불

며 개머리판을 휘둘렀대.

더이상 사람들이 보이지 않게 되자마자 아버지는 마을로 달렸어. 뒤돌아보자 가호 수가 더 많은 아랫마을에서도 불길이 타오르는 게 보였대. 불꽃이 얼마나 크고 밝은지, 연기가 솟아 닿는 구름의 흰빛이 보였대.

집담과 밭담들, 돌로 된 집들의 벽체들만 남기고 모든 것이 불타고 있었어. 아버지가 집에 들어서자 마당 가득 붉은 게 흩어져 있어서 놀랐는데, 달아오른 고추장 장독이 터진 거였어. 집에 아무도 없는 걸 확인하고 총소리가 들렸던 팽나무 아래로 달려가보니 일곱 명이 죽어 있었대. 그중 한 사람이 할아버지였어. 가호마다 주민 명부를 대조한 군인들이, 집에 없는 남자는 무장대에 들어간 걸로 간주하고 남은 가족을 대살代殺한 거야.

집까지 시신을 업고 가서 마당 가운데 뉘어놓고, 아버지는 닥치는 대로 댓잎 한아름을 끊어왔대. 헝겊 대신 그걸로 얼굴과 몸을 덮고, 아직 잔불이 타고 있는 창고 자리에서 자루가 타버린 삽을 끌어냈대. 달궈진 쇠가 식기를 기다려 댓잎 위로 흙을 덮었대.

*

솟구쳐오른 오렌지색 불꽃이 유연하게 몸을 휘며 흔들리고 있다. 그 움직임에서 눈길을 떼지 않은 채 인선이 말한다.

이 이야기를 그 영화에서는 하지 않았어.

나는 고개를 끄덕인다. 사실이다. 그 회벽 앞에서 그녀는 동굴에서 본 어둠, 눈 위에 찍히자마자 지워진 발자국들에 대해서만 이야기했다.

엄마가 정신이 흐려지기 직전에 해준 이야기니까, 당시에는 알고 있지 않았어.

바람의 속력이 빰과 콧날에 느껴진다. 식탁 위 불 꺼진 갓등이 천천히 흔들린다. 팽팽하게 곤두섰던 촛불이 꺼질 듯 몸을 움츠린다. 무엇인가 바깥에서 집을 안고 있는 것 같다. 거대하고 차디찬 그것의 숨이 서까래와 창호들의 틈으로 파고드는 것 같다.

겨우 일주일 만에 아버지는 붙잡혔어.

촛불에서 눈을 들며 인선이 말한다.

동굴 천장에서 떨어지는 물만으로 더 버틸 수 없어서, 타다 남은 곡식을 찾으러 내려왔다가 경찰과 마주쳤대. 시신을 매장하러 올 사람들을 잡으려고 매복하고 있었던 거야.

그럼, 가족들을 만나셨을까?

내 물음에 인선이 고개를 젓는다.

그렇게 되지 않았어, 군과 경찰의 지휘 계통이 다르니까. 제주읍 부두에 있는 주정공장에 보름 동안 갇혀 있다가 목포항으로 실려갔대. 선착장에서 기다리던 육지 경찰이 즉석에서 수감지와 형량을 알려줬대.

가물거리는 촛불의 음영 때문에, 인선의 표정이 시시각각 변하는 것인지 빛과 그림자가 움직이는 것뿐인지 구별할 수 없다.

그럼, 군이 데려간 사람들은?

P읍에 있는 국민학교에 한 달간 수용돼 있다가, 지금 해수욕장이 된 백사장에서 12월에 모두 총살됐어.

모두?

군경 직계가족을 제외한 모두.

*

젖먹이 아기도?

절멸이 목적이었으니까.

무엇을 절멸해?

빨갱이들을.

*

누군가 세차게 두드리는 듯 현관문이 덜컹거린다. 심지 아래로 움츠러들었던 촛불이 돌연히 몸을 부풀린다. 동요하지 않은 채 인선이 식탁 위에 두 손등을 얹는다. 열 개의 깨끗한 손가락들이 가지런히 펼쳐져 있다. 그 끝에 힘을 실어 식탁을 짚고 일어서며 그녀가 말한다.

보여줄 게 있어.

*

열려 있는 자신의 캄캄한 방으로 나아가는 인선의 뒷모습을 나는 지켜본다. 마당에서 다시 무언가 쓰러지는 소리, 방수포가 펄럭이는 소리, 새된 휘파람 같은 바람소리 사이로 그녀는 한 걸음씩 앞으로 내딛는다. 눈 대신 몸 어딘가의 촉수를 사용하는 듯 느리고 조용한 동작이다.

얼마 지나지 않아 인선이 안고 나온 건 철제 책장에 꽂혀 있던 상자들 중 하나다. 어두워서 아무것도 보이지 않았을 텐데, 위치를 기억하고 있었던 걸까. 촛불 옆에 상자를 내려놓은 인선이 두 손으로 뚜껑을 연다. 날짜와 표제어가 적힌 노란 포스트잇, 연두색과 짙은 초록색의 가느다란 플래그들이 붙은 책자들을 차례로 꺼내 식탁에 쌓는다. 인선이 꺼내지 않아 상자 아래 남은 손바닥만한 액자 속 흑백사진을 나는 본다. 정장과 원피스 차림으로 사진관 스튜디오에서 찍은 젊은 남녀의 사진이다.

스툴에 앉은 여자가 인선의 어머니라는 것을 나는 곧 알아본다. 소녀인 채 늙어버린 사람 같다고 생각했었는데, 그때 얼핏 상상했던 여린 얼굴과 달리 따스하고 당찬 생기가 작은 체구 전체에서 배어나오는 젊은 여자다. 오히려 여려 보이는 쪽은 그녀의 어깨에 한 손을 얹고 서 있는 호리호리한 남자다. 그의 이목구비가 백자처럼 깨끗한 것을, 쌍꺼풀 없는 큰 눈이 물기 어린 광채를 머금은 것을 나는 본다. 인선의 눈과 체형이 아버지를, 나머지는 젊은 어머니를 닮았다고 생각한다.

*

낮은 탑을 이룬 책들의 등을 손끝으로 훑어가 인선이 꺼내든, '세천리 편'이란 부제 옆으로 일련번호 12가 매겨진 자료집이 낯설지 않다. 국립도서관 개가열람실 서가에 꽂혀 있던 이 시리즈의 책들을 2012년 겨울에 처음 보았다. K시에 대한 책을 쓰기 위해 연관된 국내외 사례들을 읽어가던 그때, 이 섬의 학살에 대한 구술 증언이 마을 단위로 채록된 이 자료집들을 나는 과감히 건너뛰었다. 육백 쪽짜리 진상조사 보고서와 관련 총론서들, 거기 부록들로 실려 있던 삼십여 명의 증언만으로 압도되었기 때문이다.

연두색 플래그가 붙은 페이지를 인선이 펼친다. 내가 보기 좋도록 방향을 돌려 그녀가 건넨 책을 나는 받아든다.

보이기사 우리집서 제일 잘 보였주. 저디 보라. 이디 마루에만 앉앙 이서도 바당이랑 모살왓이랑 훤하게 보염시네. 그날도 안방에서 봤주게. 문 열기 겁이 나난 창호지에 손가락 구멍을 뚫어그네.

어두운데다 본문의 활자들이 작아, 촛불 바로 아래 책을 놓고 얼굴을 가까이해야만 읽어갈 수 있다. 수년 동안 우기에 물기를 먹었다 마르길 반복하며 배었을 헌책 냄새가 난다.

해거름에 트럭으로 두 대 가득 사름들이 실려와서. 못해도 백 명은 되실 거라. 군인들이 저 모살왓에 총검으로 네모지게 금을 그어놔그네, 사름들신디 그 안에 다 서 이시랜 하데. 똑바로 서라, 앉지 마라, 줄 맞추라 허고 군인들이 소리를 울르는 거 같긴 헌디 바람이 바당 쪽으로 불어부난 잘 안 들려서. 호루라기 소리가 계속 들렴신디, 나중에 사름들이 차분히 줄 서그네 금 안에 이시난 더이상 안 불어서.

높은 사름 같은 군인이 무신 명령을 울르난, 금 안에 있던 사름들 열 명이 앞으로 나왕 반듯이 바당을 보고 서서. 무신 벌을 줄라는가 가만 보고 이시난, 군인들이 뒤에서 총을 쏴그네 몬딱 앞으로 넘어지는 거라. 다음 열 명을 또 나오렌 하난 서로 안 나가젠 줄이 흐트러져서. 군인들이 총신을 휘두르멍 똑바로 서라 울르는

디, 뒤쪽에 이시던 여남은 명이 금 밖으로 튀어그네 우리집 쪽으로 막 도망 오는 거라.

내가 스물두 살, 우리 큰아들이 백일 되실 때라. 우리집 쪽으로 군인들이 총을 막 쏴댐시난 울 애기를 보듬고 솜이불을 뒤집어썼주. 애기 아방은 그때 막 민보단 들어가그네, 매일 경찰서에 일 보레 댕기멍 밤까지 집에 안 들어와서. 허이고, 애기랑 나랑 둘밖에 어신디…… 그추룩 총소리를 하영 들은 거는 그때 첨이고 마지막이라. 한참 지낭 잠잠해져그네 벌벌 떨멍 문구멍을 내당보난, 그추룩 하영 이시던 사름들이 모살왓에 자빠져 이서서. 군인들이 둘씩 짝을 지어그네 한 사름씩 바당에다 데껴 넣어신디, 꼭 옷들이 물우에 둥둥 떠다니는 것추룩 보여서.

*

이 책에는 사진이 없는데 여기엔 실렸어.

『리더스 다이제스트』와 같은 판형의 얇은 책자에서 포스트잇이 붙은 페이지를 펼치며 인선이 말한다. 노란 포스트잇에 인선이 검정 플러스펜으로 써놓은 연도와 날짜를 나는 읽는다. 십오 년 전 가을이다.

짧은 고수머리가 철회색으로 세고 풍채가 단단한 노인이 흑백 사진 속 마루에 걸터앉아 그물을 깁고 있다. 무뚝뚝한 옆모습만 찍힌 것으로 보아 앞모습 촬영을 허락하지 않은 것 같다. 구술 녹취가 아니라 취재 기사여서인지, 사진 아래 따로 발췌된 증언이 표준어로 옮겨져 있다.

나는 바닷고기를 안 먹어요. 그 시국 때는 흉년에다가 젖먹이까지 딸려 있으니까, 내가 안 먹어 젖이 안 나오면 새끼가 죽을 형편이니 할 수 없이 닥치는 대로 먹었지요. 하지만 살 만해진 다음부터는 이날까지 한 점도 안 먹었습니다. 그 사람들을 갯것들이 다 뜯어먹었을 거 아닙니까?

얇은 유광 종이가 촛불의 빛을 반사해 더 밝게 보이는데다, 조금 전의 책보다 글씨들이 커서 읽기가 수월하다. 본문 중 따옴표 안에 들어 있는 부분만 골라 나는 읽는다. 앞의 증언과 대체로 겹치는 내용이지만 추가된 것도 있다.

방으로 총알이 들어올까봐 이불을 쓰고 총소리를 듣는데, 아이들이 있었던 게 자꾸 생각나서 가슴이 떨렸습니다. 우리 아들만한 아기를 안고 있는 여자들도 봤고, 산달인지 배가 불러 허리를 짚고 서 있는 여자도 있었어요. 어둑어둑해지는데 총소리가 멈춰서 문구멍으로 내다봤더니, 피투성이로 모래밭에 엎어져 있는 사람들을 군인들이 바다에 던지고 있었습니다. 처음엔 옷가지들이 바다에

떠 있는 줄 알았는데 그게 다 죽은 사람들이었어요. 다음날 새벽에 내가 우리 아기를 업고 아기 아빠 몰래 바닷가로 갔습니다. 떠밀려 온 젖먹이가 꼭 있을 것 같아서 샅샅이 찾았는데 안 보였어요. 사람이 그렇게 많았는데, 옷가지 한 장 신발 한 짝도 없었어요. 총살했던 자리는 밤사이 썰물에 쓸려가서 핏자국 하나 없이 깨끗했습니다. 이렇게 하려고 모래밭에서 죽였구나, 생각이 들었어요.

*

식탁 위로 나온 책자들 중 가장 두툼한 단행본을 인선이 집어든다. 장정 디자인이 비교적 세련된 것으로 미루어 최근 십 년 안에 발행된 책 같다.

이게 이분의 마지막 증언이야.

밝은 주황색 플래그가 붙은 페이지를 인선이 갈라 펼치자, 흰 새의 깃털처럼 머리가 완전히 센 노인의 컬러사진이 나온다. 살집과 근육이 사라지고 몸피가 아이처럼 줄어 거의 다른 사람처럼 보인다. 같은 집 마루 기둥에 등을 기대고 무릎을 세워 앉은 그에게서 생기가 느껴지는 곳은 카메라를 향해 열린 두 눈뿐이다.

*

이제 이영 찾아오지 말렌. 고를 말 이미 다 해신디 무사 자꾸 오멘?

그동안 얘기 안 한 거?
……안 한 것이 뭐이 이시냐.

무슨 연구소 사름들이 찾아온 것이 시작이었주. 직접 본 사름이 몇 명 엇다고, 죽기 전에 이야기 안 하민 아무도 모르게 된다 허멍 부탁하는 거라. 틀린 말 아니다 싶어그네 그때 처음 고랐져. 한번 그래놓으난 다른 데서도 오데. 이야기 시켜놓곡 가불고 나민 메칠 혼자 속 시끄러울 거 알지마는 엔간하민 다 해줘서.
우리 서방이 살아 이서시민 질색해실 일인디 일찍 죽어부러난 나를 못 말렸주. 저승에서 좇아왕 말릴 수도 엇고 어쩔 거라. 귀신이 이시난 꿈에라도 와그네 말릴 건디 아직 그런 적도 어서.

우리 서방은 시국 때 피해 본 거 어서. 육이오 참전 용사라, 전쟁 나강 죽을 고비 넘긴 게 전부라. 그때 제주 사름들이 해군에 많이 가서. 섬에 이서봤자 군경한테 끌려강 죽든가, 민보단이라곡 군경 따라댕기멍 못 볼 것 보든가 둘 중 하나 아니라? 섬만 떠나

민 하루라도 발뻗엉 잘 거렌, 우리 서방은 제주도에서 제일 먼저 자진 입대해서. 살아신지 죽어신지 삼 년 소식도 엇다가 돌아와신디, 이녁은 운이 좋아신디 제주 사름들이 하영 전사했다주게. 제주도 사름들 다 빨갱이라곡 수군대는 것 들어난 몸 사리기가 어려웠다곡.

전쟁 전에 우리 서방이 군경 따라댕기멍 무신 일 해신지는 나한테 안 고랐으니 어떵 알크냐? 서방이 원해서 따라댕긴 건 아니메. 사름들하곡 울력 나강 성 쌓고 이신디 경찰이 와그네 몇 명 뽑아간 거라. 그때는 요즘 같은 세상이 아니메. 하라민 해야 되는 세상이라.

서청—서북청년단—사름들이 잔인해그네, 내내 같이 댕기던 민보단원들도 수틀리민 죽여분다는 소문이 이시난 나는 걱정되었주게. 파출소 마당에다 산사름 각시를 총검으로 찔렁 눕혀놔그네 민보단 사름들헌티도 다 한 번씩 죽창으로 찌르렌 했다는 이야기도 들어난. 아무헌티도 원수 살 일 하민 안 된다고 내가 거념허민 우리 서방은 항상 그래서. 이녁은 통역 일만 한다곡. 서청이 제주말을 못 알아듣곡 제주 사름들은 서청 말을 못 알아들으난. 소까이—소개—때 중산간에 불 놓으렁 댕길 때도 우리 서방은 문 두드령 나옵서, 인제 불나난 혼저 나옵서, 고라주멍 다닌 게 다라고 그래서. 경 헌디 이상해신 건 그때부텅 입대할 때까지 우리 아기를 안지 않은 거라. 이녁헌티 닮으민 부정 탄덴, 눈도 마주치민 안

된덴 하곡 정말 눈길도 안 줘서.

죽는 날까지 우리 서방은 군경 욕을 안 해서. 좋다 나쁘다 아예 입에 담질 않아서. 대신 빨갱이라 허멍 질색을 했주게. 무장대 그 사람들이 한 거 무신거 있느냐곡. 경찰 멧 명 죽이고 죄 어신 가족 헌티 복수허고 산에 도망가불민 그 마을에서만 이백 명 삼백 명이 보복으로 떼죽음 당햄신디, 지상낙원 만든다 허멍 그거 지옥이주 게 어떵 낙원이냐곡.

경 하난 나는 그 일 이섰던 날 서방헌티도 말 안 해서. 한밤에 발소리도 어시 들어왕 등 돌리곡 웃목에서 쪼그려 자는 사름헌티 무신 말을 하크냐.

딱 한 번뿐이여, 연구소 사름들 오기 전에 누구헌티 고랐던 거는. 그 시국 때 젓 먹던 우리 아들이 중학교 댕길 적이그네, 한 십오 년 지나실 때.

아침저녁 찬보름은 났어도 볕이 뜨거울 때여서. 대문 앞에 홍고추 널엉 말리고 이신디 몰르는 남자가 찾아와서. 물어볼 말씀이 있덴 공손허게 말을 꺼내신디, 전쟁 나기 전에도 우리가 이 집에 살아시냐는 거라.

그때는 군사혁명 때라, 그 시국 일이라민 아무도 입도 벙긋 안 할 때여. 다른 데 살당 이사왔다고 하민 잘도 좋은 대답이어실 건

디, 내가 원래 요령이 엇고 그짓말을 못하는 사름이라. 관에서 나온 사름같이 안 보이곡, 눈이나 음성이나 꼭 버렝이도 못 죽일 것추룩 생긴 사름이난 일단 들어오라 했주게. 댓돌에 앉혀놩, 내외한다곡 대문은 열어놩, 누가 들으카부덴 가만가만 물어봤주게. 무신거 궁금하난 왔느냐곡. 경 하난 그 사름이 우물쭈물하멍 사과를 하는 거라. 난데없이 이디 찾아왕 미안하다곡, 폐를 끼치렝 허는 것은 아니렌 허멍. 허이고, 내가 곱곱한 건 못 참는 성미라. 괜찮다곡, 어서 물어봥 가시렌 재촉을 해서. 경 하난 그 사름이 입을 떼신디, 그날 모래밭에서 아이들을 봤느냐곡.

그 말을 막 들어신디 명치 이신 데 이디, 오목가심 이디, 무쇠다리미가 올라앉은 것추룩 숨이 막혀서. 내가 죄지은 것도 어신디 무사 눈이 흐리곡 침이 말라신디 모르주. 몰른다곡 내보내야 하는 것을 알멍도 이상하게 대답을 하고 싶었져. 꼭 내가 그 사름을 기다렸던 것추룩. 누게가 이걸 물어봐주기만 기다리멍 십오 년을 살았던 것추룩.

그래 사실대로 대답을 했져. 아이들이 이서나긴 했다곡. 심장이 벌어질 것추룩 뛰멍 말이 더듬더듬 나와신디, 정작 그 사름은 도근하게 한참 가만히 있당 또 물어봐서. 혹시 갓난아기 울음소리도 들었느냐곡.

처음 보는 사름인디, 우리 서방이 알민 큰일이 날 건디, 내가 넋이 나간 것추룩 또 대답을 해서. 울음소리는 못 들었지마는 애기를 안고 서 이신 여자들을 봤다곡. 정말로 내가 봐서난. 모래에다 그어논 금 바로 안쪽이서 여자 셋이 젖먹이를 보듬곡 붙어 서 이서서. 네 살, 일곱 살, 많으멍 열 살 먹은 거 같은 아이들 일고여덟이 그디 모여 이서서. 아이들이 그 여자들헌티 고개를 쳐들곡 가끔씩 입을 벌리는디, 뭐렌 고르는 건지 울르는 건지 보름이 바당쪽으로 불어난 안 들려서.

그 사름이 꼼짝 안 허곡 앉아만 이시난, 이제는 더 물을 말이 어신가보다 생각해서. 경 헌디 그 사름이 다시 묻는 말이, 바당갓에 떠밀려온 아기가 있었느냐곡. 그날 아니라 담날이라도, 담달에라도.

내가 더 고라줄 힘이 없었져…… 무사 십몇 년이나 지낭 나헌티 와그네 이러는곡 묻고 싶어나신디 그 말은 입에서 안 떨어졌주. 아무도 안 떠내려왔다곡 겨우 가만가만 고라줌신디, 그 사름 샤쓰가 목깃부터 등짝까지 몬딱 땀에 젖은 게 그제사 눈에 들어오는 거라.

그래 내가 부엌에 들어강 물 한 대접 떠와서. 경 헌디 그 사름이 그걸 안 받아서. 두 손을 떨멍 무릎 우에 올려놓곡 있는 것이, 겨우 그릇을 받앙 해도 마시기도 전에 엎엉벌를 것 같았주. 그걸 이녁도 알아크네 못 받곡, 인제는 그걸 나도 알앙 해도 매정허게 그릇을 물려갈 수도 엇어그네 그추룩 한참 서 있어서.

금방 아이들이 학교서 돌아올 건디 어서 가줘시민 해서. 우리 서방이 알민 난리가 날 건디 제발 그전에. 도로 부엌으로 들어강 물그릇을 내려놓곡, 몟 번 오목가심을 문지르당 나왕보난 그 사름이 안 보여서. 아무 흔적도 어신 댓돌에 내가 앉앙 시퍼런 바당을 내당봐서. 꼭 그 사름 발소리가 다시 들릴 거 같아신디, 그걸 내가 기들리는 것인지 겁내는 것인지 알 수가 어섰주게.

4
정적

눈을 든 순간 나를 놀라게 한 것은 어둠이다. 책에 얼굴을 파묻고 읽어가는 동안 이곳이 어디인지 잊은 거다. 그사이 바람이 멎은 것도 알아차리지 못했다. 곧 부서질 것처럼 덜컹댄 게 언제였느냐는 듯 침묵에 싸인 검은 유리창을 나는 멍하게 올려다본다. 꿈속에서 문득 다른 꿈의 문을 열고 들어선 것 같은 정적이다.

더이상 촛불이 흔들리지 않는다. 파르스름한 씨앗 같은 불꽃의 심부가 내 눈을 응시하고 있다. 초의 기둥은 손가락 반 마디 가까이 더 녹아내렸다. 여러 가닥의 구슬 띠 같은 형상의 촛농이 식탁으로 흘러 굳어 있다.

이 집에 나도 가봤어.

등을 웅크리고 맞은편에 앉아 있던 인선이 말한다.

언제?

재작년에. 아들 부부만 살고 있었어.

한 단어씩 혀끝으로 정적을 밀어내듯 그녀가 대답한다.

이 인터뷰를 했던 해 겨울에 이분은 돌아가셨어.

말갛게 고여 있던 촛농이 새로운 구슬 띠를 만들며 흘러내린다.

한 가지를 이분은 오해했어.

인선이 고개를 돌려 돌아보는 안방 쪽을 나도 돌아본다. 반쯤 열린 미닫이문 너머로 보이는 것은 어둠뿐이다.

아버지 손이 물그릇을 받을 수 없을 만큼 떨렸던 건 그 순간의 감정 때문이 아니야.

심장 자리에 주먹을 얹으며 인선이 말한다.

이것보다 조금 넓은 돌을 데워서 여기 얹고 안방 벽에 기대앉아 계시곤 했어. 눕는 것보다 그 자세가 숨이 잘 나온다고 했어.

검은 파카 위로 얹힌 인선의 창백한 주먹에 푸르스름한 정맥들이 불거진 것을 나는 본다. 돌보다 심장과 더 닮은 주먹이다.

돌이 식으면 아버지가 나를 불렀어. 미지근해진 그걸 들고 내가 부엌으로 가면, 엄마가 받아서 냄비에 넣고 끓였어. 까만 돌에 숭숭 뚫린 구멍에서 거품이 일 때까지 지켜봤던 기억이 나. 뜨거운 물을 엄마가 따라 버리고 행주에 돌을 싸서 주면 받아들고 아버지에게 갔어.

인선이 가슴에서 주먹을 뗀다. 심장을 내려놓듯 식탁 위에 가만히 놓는다.

심장이 아프셨어?

협심증 약을 드셨어. 결국 심근경색이 왔어.

덤덤하게 그녀가 대답한다.

손이 떨리던 것도 고문 후유증이었어.

*

인선이 주먹을 펼쳐 천천히 책자들을 덮어가는 것을 지켜보다 나는 문득 생각한다.

언제부터 이 자료들을 모았을까.

바닷가 집에 찾아간 게 재작년이었다면 그보다 앞서 시작했을 것이다. 도립도서관이나 4·3연구소에서 열람하거나 대출할 수 있었겠지만, 소장하기 위해서는 별도의 노력이 필요했을 것이다. 디지털 영인이 되지 않은 잡지를 구하려면 헌책방을 뒤지거나 서울의 잡지사에 연락해 과월호를 청해야 했을 거다. 그런 종류의 일은 인선에게 어렵거나 낯선 게 아니었을 것이다. 최소한의 예산으로 영화들을 만들던 십 년 동안, 자료 조사와 섭외부터 모든 것을 혼자 해냈으니까.

영화를 준비하는 걸까, 다음 순간 나는 생각한다. 마지막 영화를 다시 찍거나 보완하려는 밑 작업인가.

*

그러나 내가 그 질문을 채 마치기 전에 인선의 얼굴이 조용히 굳어진다.

그런 생각 해보지 않았어.

양쪽 팔꿈치를 식탁에 얹고 손깍지에 턱과 아랫입술을 대는 그녀의 동작이 방금 본 사진 속 노인과 어딘가 닮았다고 나는 생각한다. 미간의 주름이 깊게 파인 이마와 고집스러운 표정은 마지막 GV 세션 때와 거의 흡사하다. 그다지 호평을 받지 못했던 인선의 마지막 영화는 '아버지의 역사에 부치는 영상 시'라는 영화제 기획자의 우호적인 촌평을 부제처럼 매달고 상영되었는데, 지금처럼 미간에 주름을 만든 채 인선은 그 말을 반박했다. 아버지를 위한 영화가 아닙니다. 역사에 대한 영화도 아니고, 영상 시도 아니에요. 놀란 듯한 진행자가 웃으며 매끄럽게 물었다. 그럼 무엇에 관한 영화인가요? 그 질문에 그녀가 어떻게 답했는지는 기억나지 않는다. 다만 그녀가 영화를 그만둔 이유를 짐작하려 할 때마다 그날이 떠올랐다. 당혹과 호기심과 냉담함이 섞인 진행자의 태도와 객석의 어리둥절한 침묵, 진실만 말해야 하는 저주를 받은 듯 천천히 말을 이어가던 인선의 얼굴이.

*

우리 프로젝트 말고 다른 건 생각해본 적 없어, 지난 사 년 동안.

손깍지를 풀어 아랫입술에서 떼어내며 인선이 말한다. 더 말을 이어가려는 인선을 이번에는 내가 제지한다.

그건 하지 않기로 했잖아, 인선아.

지난여름 내가 전화로 그 말을 했을 때 짓고 있었을 것 같은, 납득할 수 없다는 듯한 표정이 그녀의 얼굴에 떠오른다.

그때 말했잖아, 처음부터 내가 틀렸던 거라고. 너무 단순하게 생각했었다고.

바로 반박하는 대신 생각을 가다듬으려는 듯 인선이 눈을 감는다. 이윽고 눈을 뜨며 침착하게 묻는다.

그럼 어떻게 생각이 바뀌었어, 지금은?

그 순간 스위치를 켠 듯 꿈속의 감각이 되살아나 나는 숨을 참는다. 눈 덮인 땅에서 스며 나온 물이 자작자작 운동화 밑창에 밟혔다. 무릎까지 삽시간에 차오르며 검은 나무들과 봉분들을 휩쓸었다.

꿈이란 건 무서운 거야.

소리를 낮춰 나는 말한다.

아니, 수치스러운 거야. 자신도 모르게 모든 것을 폭로하니까.

이상한 밤이라고 나는 생각한다. 누구에게도 하지 않았을 이야기를 고백하고 있다.

밤마다 악몽이 내 생명을 도굴해간 걸 말이야. 살아 있는 누구도 더이상 곁에 남지 않은 걸 말이야.

아닌데, 하고 인선이 내 말을 끊고 들어온다.

아무도 남지 않은 게 아니야, 너한테 지금.

그녀의 어조가 단호해서 마치 화가 난 것 같았는데, 물기 어린 눈이 돌연히 번쩍이며 내 눈을 꿰뚫는다.

……내가 있잖아.

*

이번에는 내가 눈을 감는다. 이제 인선도 읽는가, 생각한 순간 조용한 고통이 느껴졌기 때문이다.

스물네 살 동갑내기로 처음 만났을 때, 당시 이 년제였던 대학의 사진과를 졸업해 이태 먼저 사회생활을 시작한 인선은 거의 모든 면에서 나보다 성숙하고 유능했다. 고백한 적 없지만 그녀가 언니처럼 느껴진 적도 있었다. 명산과 그 아랫마을을 취재하던 꼭지를 위해 세번째로 찾은 곳은 월출산이었는데, 산행을 시작하기도 전에 내가 위경련을 앓았을 때 처음 그런 감정을 느꼈다. 영암읍내에 하나뿐인 약국에서 진통제와 진경제를 구해온 인선은 플레인 요거트에 플라스틱 숟가락을 얹어 함께 내밀며 말했다.

약사는 겔포스를 주는데, 왠지 그걸 먹으면 더 토할 것 같아서 이걸 사봤어요.

그것들을 먹고도 밤새 앓다 결국 다음날 일정을 취소해야 했을 때 그녀는 선선하게 말했다.

일단 돌아갔다가 토요일에 다시 오면 어때요? 출장비 또 청구하지 않을게요. 이번엔 아픈 친구하고 여행 왔다고 생각하면 되죠.

돌아온 토요일 새벽 기차역에서 인선은 정말 친구처럼 무람없이 나에게 손을 흔들었다. 읍내 숙소에 짐을 풀고 바로 산행을 시작했는데, 바람고개에 다다르자 인선은 사방 바람길의 풍광이 보이는 자리에 삼각대를 설치한 뒤 집에서 간단히 말아왔다는 김밥을 꺼냈다. 그후 종종 먹게 된 인선의 요리가 늘 그랬듯 수수하고 심심한, 채 썬 오이와 당근과 우엉이 속 재료의 전부인 김밥이었다.

경하씨라면 어떻게 하겠어요?

김밥을 다 먹고 일어서기 전에 인선이 물었을 때 나는 얼른 질문의 뜻을 이해하지 못했다.

경하씨가 그 여자라면요.

공교롭게도 지금까지 함께 다닌 세 개의 산에 모두 전설의 바위가 있다는 이야기를 나누던 끝이었다. 이야기의 패턴은 거의 같았다. 큰 산 아랫마을의 모든 대문을 두드려 끼니를 청했으나 거절당한 늙은 걸인이 오직 한 여자에게서 밥 한 그릇을 얻는다. 고마움의 표시로 그가 말한다. 내일 동트기 전에 누구에게도 말하지 말고 산을 오르라고. 산을 넘어갈 때까지 뒤돌아봐서는 안 된다고. 노인의 말대로 여자가 산중턱에 다다랐을 때 해일이나 폭우가 마을을 삼킨다. 예외 없이 그녀는 뒤돌아본다. 그곳에서 돌이 된다.

부쩍 해가 길어진 5월 하순이었다. 아사면 셔츠 소매를 팔꿈치까지 걷어올린 인선은 널찍한 돌에 걸터앉아, 담배를 이 사이에 물고 씹다가 불을 붙이는 대신 담뱃갑에 다시 넣는 동작을 반복하고 있었다—이십대에 그녀는 줄담배를 피웠고 서른에 끊었다—. 가뭄 경보가 내려진 즈음이어서 산불을 조심하는 거였다.

그때 돌아보지만 않으면 자유인데…… 그대로 산을 넘어만 가면.

장난스레 투덜거리는 인선의 목소리를 들으며 나는 첫 달과 그 다음달 출장에서도 보았던 바위들을 떠올리고 있었다. 의붓딸이거나 며느리이거나 노비이거나, 산 아래에서 가장 수난받던 여자들이 뒤돌아보아 변했다는 호리호리한 석상 같은 바위들이었다.

언제 돌이 됐을까요?

대답 대신 나는 물었다.

뒤돌아보자마자 그렇게 됐을까? 아니면 시간이 좀 걸렸을까요?

그쯤에서 멈췄던 대화를, 저물기 전에 산에서 내려와 삼층 숙소의 창문을 열고 바깥공기를 들이다 나는 다시 떠올렸다. 석양을 등지고 산중턱에 선 바위 여자의 검은 윤곽이 창 너머로 보였기 때문이다.

두 발이 돌이 되어 놀라는 여자의 모습이 그 순간 눈앞에 떠올랐다. 그때라도 다시 몸을 돌리고 산을 오르면 되었다, 아직 발이 굳었을 뿐이니까. 돌이 된 발을 끌고 몇 걸음 더 오르던 여자가 그러나 다시 돌아본다, 이번엔 종아리까지 돌이 된다. 무거운 두 다리를 끌며 여자가 더 비탈을 오른다. 고개를 넘어가면 살아남을 수 있다, 거기서 돌아보지만 않으면. 하지만 기어이 얼굴을 돌린다. 무릎 위까지 돌이 되자 더는 방법이 없다. 모든 집과 나무들 위로 차오른 물이 빠질 때까지 거기 서 있다. 골반과 심장과 어깨가 돌이 될 때까지. 벌어진 눈도 바위의 일부가 되어 더이상 핏발이 서지 않을 때까지. 날과 달이 수천 번, 수만 번 지나가는 동안 눈비를 맞고 있다. 무엇을 보았기에? 무엇이 거기 있기에 계속 돌아보았나.

돌이 됐다고 했지, 죽었다는 건 아니잖아요?

장비들의 배터리를 충전하고 여장을 정리하던 인선이 창문 옆으로 다가와 물었다. 담배에 불을 붙이고는 푸른 연기를 삼켰다가 창밖으로 길게 뱉었다.

그때 안 죽었는지도 모르잖아요. 저건 그러니까…… 돌로 된 허물 같은 거죠.

그녀의 눈에서 장난기가 반짝였다.

아, 말하고 보니까 정말 그런 것 같은데.

농담이 아니라는 듯 짐짓 진지한 표정을 지어 보이던 인선이 갑자기 말을 놓았다.

허물을 벗어놓고, 여자는 간 거야!

아이처럼 만세 부르듯 두 손을 치켜든 인선을 향해 나도 웃으며 말을 놓았다.

어디로?

그건 뭐 그 사람 맘이지. 산을 넘어가서 새 삶을 살았거나, 거꾸로 물속으로 뛰어들었거나……

그 순간 이후 우리는 다시 서로에게 경어를 쓰지 않았다.

물속으로?

응, 잠수하는 거지.

왜?

건지고 싶은 사람이 있었을 거 아니야. 그래서 돌아본 거 아니야?

그 저녁부터 인선과 친구가 되었다. 그녀가 섬으로 돌아가기 전까지 인생의 모든 기점들을 함께했다. 잡지사를 그만둔 지 얼마 되지 않아 부모님을 여의고 내가 텅 빈 아파트에 틀어박혀 있던 시기에 그녀는 불쑥 문자를 남긴 뒤 찾아오곤 했다. *너는 한 가지 일만 하면 돼. 문을 열어줘.* 그녀의 말대로 현관문을 열면, 찬바람과 담배 냄새가 훅 끼쳐오는 팔이 내 어깨를 안았다.

*

눈을 뜨자 여전한 정적과 어둠이 기다리고 있다.

보이지 않는 눈송이들이 우리 사이에 떠 있는 것 같다. 결속한 가지들 사이로 우리가 삼킨 말들이 밀봉되고 있는 것 같다.

*

타오르는 초의 심지 끝에서 검은 실 같은 연기 한 올이 피어오른다. 그 실오라기가 흩어져 허공에 스며들 때까지 지켜보다 나는 묻는다. 팔을 뻗어 돌집 처마에 관솔불을 붙이던 군인들의 영상이 눈앞을 스쳤기 때문이다.

이 집도 그때 불에 탔어?

내 너머가 불타던 밤 이 집에도 그들이 왔을까, 나는 생각한다. *인제 불나난 혼저 나옵서.* 마당을 가로질러온 그들이 호루라기를 불며 문을 두드렸을까.

그때 누가 살았어, 이 집에?

저 미닫이문에 총검을 꽂아 열고 들어왔을까. 누가 안에 있었

을까.

이 집은 엄마의 외가였어.

인선이 대답한다.

외증조할머니가 큰아들 내외와 살고 있었는데, 그분들은 소개령이 내리자마자 바닷가 당숙네로 내려가서 그 밤을 피했어. 신세 질 곳이 있었으니 운이 좋았지.

인선이 덧붙여 말한다.

물론 이 집도 그때 불탔어. 돌벽만 남은 걸 다시 올린 거야.

*

불길이 번졌던 자리에 앉아 있구나, 나는 생각한다.

들보가 무너지고 재가 솟구치던 자리에 앉아 있다.

*

인선이 몸을 일으키자 그녀의 그림자가 천장까지 솟아오른다. 그녀가 책들을 상자에 담고 뚜껑을 닫는 동작에 맞춰 그림자가 더 부풀었다 가라앉기를 반복한다.

방에 같이 갈까?

나는 대답하지 않았는데, 내가 함께 가리란 걸 의심하지 않는 듯 그녀가 혼잣말을 한다. *초를 어떻게 하지.*

인선은 싱크대로 걸어가 한 손에 종이컵을, 다른 손에 가위를 들고 돌아온다. 컵의 바닥면을 십자로 오려 틈을 낸다. 촛농으로 고정했던 초를 떼어내 그곳에 끼우자, 흰 코팅 종이를 투과해 나온 불빛이 은은해진다.

같이 가자.

나는 일어서지 않는다.

같이 보고 싶은 게 있어.

등신대의 두 배에 가까운 인선의 그림자가 천장의 흰 벽지 위로 일렁이며 다가온다.

내가 의자를 뒤로 밀고 일어선 건 그 그림자가 멈추길 원했기 때문이다. 엎지른 먹처럼 번져와 내 그림자를 삼키길 원하지 않았기 때문이다.

나는 두 손을 뻗어 상자의 밑면에 밀어넣는다. 제법 묵직한 그걸 가슴에 붙여 든다. 촛불을 든 인선이 앞장선다. 우리 몸은 손끝 하나 닿지 않았는데, 어깨가 연결된 한 쌍의 거인 같은 그림자가 천장과 벽에 어른거리며 함께 나아간다.

아亞 자 문살에 불투명 유리를 끼운 미닫이문의 턱을 넘어 그녀가 방으로 들어간다. 뒤따라 들어가기 전에 나는 뒤돌아본다. 촛불이 사라진 마루와 부엌의 어둠이 검은 물속 같다. 촛불의 음영이 번져 있는 방으로 발을 들이자, 난파한 배 아래 공기가 남은 선실로 들어온 것 같다. 밀려들어올 물살을 막듯 나는 어깨로 문을 밀어 닫는다.

*

인선이 마주선 철제 책장을 향해 나는 뒤따라 다가선다.

상자마다 붙은 포스트잇에 적힌 검은 글씨들이 촛불의 빛을 받아 조금씩 움직이고 있는 것처럼 보인다. 인선의 글씨는 속필이자 달필이다. 획들을 힘차게 흘려 쓰는 동시에 형태를 흐트러뜨리지 않는다. 빛을 받으면 목소리처럼 일어났다가 촛불이 지나쳐가는 즉시 잠잠해지는 그 글씨들을 나는 읽는다. 대부분 지명과 연도들이다. 증언자의 것으로 보이는 이름, 출생 연도로 추정되는 숫자들도 보인다.

여기야, 하고 인선이 가리킨 빈자리에 나는 안고 있던 상자를 밀어넣는다. 다음 순간 허리를 굽힌 인선의 팔과 함께 아찔한 호를 그리며 촛불이 책장 아래쪽으로 내려가, 배가 흔들리며 상자들이 쏟아져내릴 것 같은 현기증을 나는 느낀다.

들어줄래?

내가 촛불을 받아들자 인선이 더 깊게 허리를 숙인다. 잔해 속을 더듬듯 맨 아래 칸의 크고 작은 상자들을 손끝으로 짚어간다.

수없이 반복해온 것 같은 그 익숙한 동작이, 공방의 난로 앞에서 내가 물었던 질문에 대한 대답이라는 것을 나는 깨닫는다. 어떻게 그녀가 이곳에서 혼자 살고 있는지. 수년 동안 무엇을 해왔는지.

*

맨 아래 칸에서 상자 하나를 반쯤 끄집어낸 인선이 뚜껑을 열고 지도를 꺼낸다. 세 번 접힌 대축척지도를 장판 바닥에 펼친 뒤 한쪽 무릎을 짚고 앉으며 말한다.

여기가 엄마가 다녔던 학교야, 한지내에 있는.

인선의 집게손가락이 짚은 쌀알만한 동그라미 위로 촛불을 비추며 나도 한쪽 무릎을 꿇고 앉는다. 지금도 같은 곳에 학교가 있는지, 깃발 달린 건물 모양 기호가 원 속에 인쇄되어 있다.

이 집은 어디 있어?

여기.

인선이 손끝으로 짚은 자리는 내가 짐작한 것보다 위쪽에, 간격이 촘촘한 갈색 등고선 속에 있다.

엄마가 살던 집은 여기야.

처음 짚었던 학교의 위치와 거의 붙어 있는, 검정색 사인펜으로 찍힌 점을 인선이 짚는다.

학교가 멀었으면 아마 못 다녔을 거라고 엄마가 말한 적 있어.

아들은 하숙을 시켜서라도 읍내 중학교에 보내도 딸은 무학으로 두던 때니까.

인접한 두 점을 집게손가락과 중지로 덮으며 인선이 말한다.

딸들을 셋씩이나 가르쳐서 뭐에 쓰려느냐고 동네 사람들이 타박하면 외할머니는 웃으면서 대꾸했대. *세상이 달라진다마씀.* 자식들이 숙제하는 동안엔 되도록 일을 안 시키는 걸 알고, 엄마랑 막내 이모는 늘 일부러 시간을 끌었대.

바싹 깎인 인선의 손톱이 마을 위쪽으로 길고 완만한 곡선을 그린다.

소개령은 해안에서 오 킬로미터 안쪽에 내렸으니까 이 선 바로 바깥에 있는 한지내는 해당이 안 됐어. 갑자기 당숙네 신세를 지게 된 친정 식구들이 눈칫밥 먹을 일만 걱정이어서, 외할머니가 큰이모랑 엄마 손에 쌀이며 감자를 들려 심부름을 보냈어.

당숙의 집을 표시한 것으로 보이는, 바다 가까이 찍힌 검정색 점에 인선의 손톱 끝이 다다른다.

십 리 길이라 스무 살 외삼촌이 짐을 들어주고 싶어했는데, 젊은 남자는 위험하니 집에 있으라고 외할아버지가 만류했대. 여덟 살 막내 이모도 같이 가겠다고 혼자 세수를 하고 옷을 차려입고 나왔는데 외할머니가 안 된다고 했대. 오 리도 못 가서 언니들이 업어줬으면 하고 비똘비똘 걸을 거 아니냐고.

*

전에 내가 너한테 이 이야기를 했어, 기억나?

인선이 물은 순간 그 밤의 모든 것이 생생해진다. 아무도 밟지 않은 눈이 차도와 보도를 덮고 있었다. 입간판과 에어컨 실외기, 낡은 창틀들 위에도 탐스러운 켜를 이루며 쌓여 있었다. 운동화 속으로 파고드는 눈이 쭈뼛하게 차가운 동시에 눈을 밟는 감각은 믿을 수 없이 부드러워, 발을 내딛는 순간마다 느껴지는 게 고통인지 쾌락인지 구별할 수 없었다.

그 이야기에 빠졌던 것들이 있어. 내가 잘못 이해했던 것도.

자신이 사인펜으로 찍어놓은 점이 우물인 듯, 그 검은 수면에 무엇인가 비쳐 있는 듯 인선은 골똘히 들여다본다.

두 자매가 마을로 돌아왔을 때, 시신들은 국민학교 운동장이 아니라 교문 건너 보리밭에서 눈에 덮여 있었어. 거의 모든 마을에서 패턴이 같아. 학교 운동장에 모은 다음 근처 밭이나 물가에서 죽였어.

지도 위의 점이 언뜻 흔들렸다고 느낀 건 내 착각이었을 것이다. 시선을 떼는 즉시 움직이는, 죽은 척하고 있던 곤충처럼.

얼굴에 쌓인 눈을 한 사람씩 닦아가다 마침내 아버지와 어머니를 찾았는데, 옆에 있어야 할 오빠와 막내가 안 보였대. 군인들이 마을로 들어오는 걸 보고 젊은 남자들은 미리 도망갔을 거란 희망

이 있었지만—외삼촌은 운동회 때 계주 마지막 주자였대—막내가 없는 건 이상한 일이어서 두 사람은 초조해졌어. 보리밭에 죽어 있는 백여 명의 사람들을, 아래에 동생이 깔려 있는지 밀어가며 다시 살폈대. 혹시나 싶어 불탄 집터로 가본 건 땅거미가 내릴 즈음이었어.

*

거기 있었어, 그 아이는.

처음에 엄마는 빨간 헝겊 더미가 떨어져 있는 줄 알았대. 피에 젖은 윗옷 속을 이모가 더듬어 배에 난 총알구멍을 찾아냈대. 빳빳하게 피로 뭉쳐진 머리카락이 얼굴에 달라붙은 걸 엄마가 떼어내보니 턱 아래쪽에도 구멍이 있었대. 총알이 턱뼈의 일부를 깨고 날아간 거야. 뭉쳐진 머리카락이 지혈을 하고 있었는지 새로 선혈이 쏟아졌대.

윗옷을 벗은 이모가 양쪽 소매를 이빨로 찢어서 두 군데 상처를 지혈했어. 의식 없는 동생을 두 언니가 교대로 업고 당숙네까지 걸어갔어. 팥죽에 담근 것같이 피에 젖은 한덩어리가 되어서 세 자매가 집에 들어서니까 놀란 어른들이 입을 열지 못했대.

통금 때문에 병원에 가지도, 의원을 부르지도 못하고 캄캄한 문

간방에서 하룻밤을 보냈대. 당숙네에서 내준 옷으로 갈아입힌 동생이 앓는 소리 없이 숨만 쉬고 있는데, 바로 곁에 누워서 엄마는 자기 손가락을 깨물어 피를 냈대. 피를 많이 흘렸으니까 그걸 마셔야 동생이 살 거란 생각에. 얼마 전 앞니가 빠지고 새 이가 조금 돋은 자리에 꼭 맞게 집게손가락이 들어갔대. 그 속으로 피가 흘러들어가는 게 좋았대. 한순간 동생이 아기처럼 손가락을 빨았는데, 숨을 못 쉴 만큼 행복했대.

*

인선의 눈동자에서 불꽃과 그을음이 함께 타고 있다. 그걸 눌러 끄듯 그녀가 눈을 감는다. 다시 그녀의 눈꺼풀이 열렸을 때는 더 이상 그 불이 타고 있지 않다.

정신이 흐려지면서 엄마가 가장 많이 이야기한 게 그날 밤의 일이야.

내가 든 촛불의 빛이 인선의 얼굴을 아래에서부터 비춰, 그녀의 콧잔등과 눈꺼풀 위로 새카만 그늘이 번져 있다.

그 시기에 엄마는 장사같이 힘이 셌어. 이 이야기를 하는 동안에도, 마친 뒤에도 힘껏 내 손을 움켜쥐고 있었어. 손목이 저리고 아파서 뿌리치고 싶을 만큼. 칼질을 하다 손가락에서 피가 날 때마다 생각났다고 엄마는 말했어. 손톱을 깊이 깎아서 상처가 날 때마다, 덜 아문 자리에 실수로 소금이 닿을 때마다 생각났다고 했어, 어둠 속에서 옴죽옴죽 엄마 손가락을 빨던 입이.

*

계속해서 엄마는 물었어.

그 어린것이 집까지 기어오멍 무신 생각을 해시크냐? 어멍 아방은 숨 끊어져그네 옆에 누웡 이신디 캄캄한 보리왓에서 집까지 올 적에난, 심부름 간 언니들이 돌아올 걸 생각해실 거 아니라? 언니들이 저를 구해줄 거라 생각해실 거 아니라?

*

인선이 말을 멈춘다.

방밖에서 소리가 들렸기 때문이다.

숨을 죽여야 들리는 작은 소리다. 물속에서 모래가 쓸리는 것 같은, 누군가가 손끝으로 쌀알을 흐트러뜨리는 것 같은 소리가 미세히 커졌다 잦아든다.

여기 있자.

나는 나가자고 말하지 않았는데, 조용히 만류하듯 인선이 말한다.

우리는 없어도 돼.

그녀가 이어 속삭인다.

우리를 만나러 온 게 아니니까.

쌀알이 흩어지고 모래가 쓸리는 것 같던 소리가 조금씩 커진다. 깃털들이 스치고 퍼덕이는 소리, 삐이이 낮게 우는 소리가 새장이 있는 쪽에서, 식탁과 싱크대 쪽에서 거의 동시에 들린다. 새들이 왔나, 나는 생각한다. 그림자가 아니라 날개 근육을 움직여 활공하는, 식탁 위 갓등에서 그네를 타는 새들이.

소리가 그칠 때까지 우리는 입을 열지 않는다. 물살이 잦아들듯 소리가 희미해진다. 차츰 음량이 낮아져 휘발하는 음악의 종지부처럼, 속삭이다 말고 문득 잠든 사람의 얼굴처럼 모든 것이 고요해진다.

5
낙하

어둠에 잠긴 유리창을 올려다보며 나는 생각한다. *물속의 적막 같다.* 창을 열면 검은 물살이 쏟아져 덮칠 것 같다.

무인 잠수정에 설치된 카메라가 심해로 낙하하며 촬영한 영상을 본 적이 있다. 수면에서 굴절돼 들어오던 암녹색 빛이 엷어지다 이내 캄캄해졌다. 화면의 암흑 위로 유령 같은 빛점들이 주기적으로 어른거리다 사라졌다. 멀리 있는 생명체들이 내는 빛이었다. 간혹 온전한 모습의 발광하는 생물체가 화면에 잡혔지만 찰나에 모습을 감췄다. 빛점들이 어른거리는 수직 구간이 점점 짧아졌다. 그에 교차되는 암흑의 구간은 막막하게 길어졌다. 이제 계속 암흑인 건가, 생각했을 때 심해 해파리들이 내는 반투명한 빛과 함께 거대한 눈 폭풍 같은 광경이 포착되었다. 모든 해저 생물체들의 사체가 연니軟泥가 되어 떨어져내리는 거였다. 수압이 잠수정의 불빛을 꺼뜨렸다. 마지막 장면의 암흑이 심연 때문인지, 송출이 멈췄기 때문인지 분명하지 않았다.

*

엄마를 잘 몰랐어.

몸을 일으켜 캄캄한 책장으로 다가서며 인선이 말한다.

지나치게 잘 안다고 생각했는데.

천장으로 연결된 그림자 때문에 더 키가 커진 것 같은 그녀의 후리후리한 뒷모습을 나는 지켜본다. 발뒤꿈치를 든 그녀가 위쪽 칸으로 손을 뻗자 목이 짧은 양말 위로 깡마른 발목이 드러난다. 일어나 도와야 하나, 생각했을 때 인선이 상자를 가슴으로 받아 안는다.

*

상자를 지도 앞에 내려놓고 뚜껑을 열기 전에 인선은 소매를 한 단씩 더 접는다. 소매가 닿아선 안 될 무엇이 들어 있는 걸까.

그녀의 손에 처음 들려 나온 것은 변색된 신문 조각들이다. 종이들이 흩어지지 않도록 누군가가 회색 무명실을 가로로 둘러 묶고 리본 매듭을 지어놓았다. 같은 방법으로 묶인, 손상되지 않도록 사이사이 습자지가 끼워진 사진 뭉치가 나란히 지도 위에 놓인다.

신문 조각들을 묶은 실의 매듭을 인선이 푼다. 희끗한 점들이 매듭 안쪽에 찍힌 걸 보면 원래 흰 실인 것 같다. 맨 위에 놓인 기사의 여백에 청색 볼펜으로 적힌 숫자 '1960. 7. 28'과 E일보라는 글씨는 인선이 쓴 것이 아니다. 종이가 움푹 들어갈 만큼 필압이 높은, 모든 세로획을 구부려 쓴 정체다.

안 돼.

탄식하듯 낮게 인선이 중얼거린다. 접힌 신문 스크랩 한 장을 살며시 폈는데도 삭은 귀퉁이가 부스러졌기 때문이다. 인선이 내 쪽으로 돌려놓아준 그걸 읽으려면 무릎을 꿇고 종이에 거의 얼굴을 붙여야 한다. 촛불의 조도가 낮은데다 종이가 어둡게 변색돼, 촛불의 빛이 바로 위에 머무를 때만 사진의 형상을 알아볼 수 있다.

엎드려 고개를 숙이기 전에 나는 자신에게 묻는다. 이것을 보고 싶은가. 병원 로비에 붙어 있던 사진들처럼, 정확히 보지 않는 편이 좋은 종류의 것 아닐까.

*

그러나 두 무릎과 왼손으로 바닥을 짚는다. 초를 든 오른손과 눈을 함께 움직여 흑백 보도사진 속 광장에 모인 수백 명의 모습을 훑어간다. 대부분 흰옷으로 짐작되는 높은 명도의 옷을 입고 있다. 비슷한 밝기의 깃발을 든 사람들도 보인다. 그들이 바라보는 쪽에 걸린 플래카드에 붓으로 씌어진 한자를 나는 읽는다. 경북 지구 피학살자 합동 위령제. 기사 제목에도 들어간 위령제慰靈祭라는 한자 아래, 좀전에 본 필적으로 독음이 적혀 있다. 같은 필압으로 본문 가운데 밑줄이 그어진 부분을 나는 읽는다.

경북 지역 보도연맹원 1만여 명

대구형무소 1천 5백 명 재소자

경산 코발트 광산 및 인근 가창골

학살지 유해 수습 발굴

세로쓰기 조판을 따라 내 손과 눈이 움직이는 속도가, 소리 내 읽거나 입속으로 중얼거리는 속도와 흡사하다는 것을 나는 깨닫는다. 희미한 목소리 같은 기척이 활자들에서 새어나온다고 느껴지는 건 그 때문인 것 같다. 움푹 종이가 파이도록 밑줄이 그어진, 큰따옴표 안에 유족회의 입장문이 들어가 있는 부분을 나는 읽는다.

4·19혁명 정신에 입각하여 피학살자 및 피해자 실태조사회를 운영하고 있으니

피해 유가족들은 낡은 공포심을 극복하고 본회 조사 사업에 적극적인 협조를 바라며

*

이해할 수 없다. 오십팔 년 전 E일보 기사를 누가 오리고 밑줄을 그었을까.

엄마 옷장 서랍에서 나온 거야.

얼굴을 든 나에게 인선이 말한다.

엄마는 학교에서 배웠던 대로 글씨를 썼어. 모든 획을 사십오도로 꺾어서.

*

인선이 손을 내밀었을 때 이번엔 착각하지 않는다. 초를 달라는 것이다.

촛불을 받아들고 일어서는 그녀의 얼굴에 피로도 너그러움도 체념도 아닌 표정이 어려 있는 것을 나는 본다. 수년 전 뜨거운 죽을 그릇에 덜며 말하던 얼굴과 어딘가 비슷하다. *입맛을 잃지 않는 사람은 오래 산대. 엄만 오래 사실 거야.*

*

크기와 낡은 정도가 다를 뿐 비슷한 재질의 종이 상자들 사이에서 인선은 댓살로 촘촘하게 짠 얇은 상자를 꺼낸다. 자리로 돌아온 그녀가 상자를 열기 전에 나는 다시 촛불을 넘겨받는다. 검붉은 비단에 싸인 납작한 꾸러미를 인선이 꺼내는 동안 불빛을 비춘다.

꾸러미 속에서 나온 것은 변색된 편지다. 세로쓰기로 적힌 수취인의 이름은 姜正心. 태극기를 들고 만세를 부르는 남녀가 그려진 우표에 대구우체국 1950년 5월 4일 소인이 찍혀 있다. 두 번 접힌 갱지를 인선이 봉투에서 꺼내 펼친다. 청보랏빛 검열 스탬프가 왼편 상단에 번져 있는 그 종이를 나는 받아든다. 촛불을 가까이 들고, 세로쓰기로 오른쪽에서부터 적힌 첫 문장을 읽는다.

나
의

동

생

정심에게

매우 작게 글씨를 쓰고, 지나치게 넓게 띄어쓰기를 하는 사람의 필적이다. 그런 습관이 어떤 성격을 말해주는지도 모른다.

나는 건강하니 걱정 말라고 그는 썼다. 정숙이와 외할머니, 다른 외가 어른들께 안부를 전해달라고 썼다. 형기가 아직 육 년 남았지만 십오 년, 십칠 년 징역을 받은 제주도 사람들도 많은데 나는 운이 좋은 거라고 썼다. 네가 편지를 보내줘서 기뻤다고, 다시 답장을 해주면 좋겠다고 썼다. 깨알 같은 글씨로 추신을 달아, 앞서 받은 편지에서 마음에 걸린 듯한 부분에 대해 말했다. *네 편지 읽고 많은 생각 하였다 내가 나가면 너는 스물한 살 정숙이는 스물다섯 나는 스물여덟 아니냐 보고 싶은 마음이야 당연하지마는 눈물 흘릴 것이 무어 있나 쇠털같이 많은 날을 만나 옛이야기 할 수 있는데 정숙이한테 그리 일러주어라*

*

불타버린 한지내로 돌아갈 수 없어서, 당숙네가 외가 식구들한테 내준 방 한 칸에 엄마랑 이모도 신세를 졌대.

손을 내밀어 편지를 받아들며 인선이 말한다.

비좁은 방에 나란히 누운 어른들이 잠들고 나면 이모가 엄마한테 귓속말로 말했대. 오빠는 살았을 거라고. 달음박질이 날래니까 안 잡혔을 거라고. 중학교 마치기 전부터 아버지 따라 산으로 도시락 싸 들고 가 말몰이를 했으니 누구보다 숨을 데를 잘 알지 않겠느냐고. 빈 도시락에다 산열매를 담아와서 정옥이랑 너한테 주곤 하지 않았느냐고, 굶어죽을 일도 없다고.

접혔던 선대로 편지를 접으며 인선이 말을 잇는다.

말을 치러 갈 때 외할아버지랑 외삼촌이 싸가던 도시락 때문에 막내 이모가 크게 운 적이 있대. 그걸 먹고 싶다고 조르다가 외할머니에게 혼이 나서. 그날 저녁 돌아온 외삼촌이 엄마한테 양은 도시락 통을 건넸대. 무사 나헌티 설거지를 시키는곡, 시큰둥해하며 엄마가 통을 열었는데 나뭇잎이 빈틈없이 곱게 깔려 있고, 무슨 보석 같은 색색깔 열매들이 그 위로 담겨 있었대. *정옥이하곡 노나 먹으렌.* 멋쩍게 웃으면서 외삼촌이 말했대.

잠시 인선이 말을 끊은 동안 나는 지난해 가을 목공방에서 본 밀폐용기 속 산오디를 떠올린다. 그걸 넣고 끓인 시큼한 차를 마시고 나자 혀와 앞니가 흑보랏빛으로 물들었었다.

자수하면 처벌하지 않겠다는 삐라를 미군 정찰기가 눈보라처럼 뿌린 날에도 이모가 귓속말로 엄마에게 말했대. 삐라를 읽고 오빠가 자수할지도 모른다고. 체구가 작아 제 나이로 안 보이니까 내려오다 총을 맞진 않을 거라고. 형제들 중에 제일 눈치가 빠르고 넉살이 좋으니까, 감쪽같이 어리숙한 척을 해서 의심도 안 받을 거라고.

*

개가열람실 창문의 블라인드 틈으로 들어오던 육 년 전 겨울 햇빛이 그때 내 눈앞에 떠오른다. 이 섬의 마을 단위 구술 증언들을 과감히 건너뛴 날, 두 권의 책을 골라 들고 복도 끝 간이 책상에 앉아 본 빛이었다. 1948년 11월 중순부터 석 달 동안 중산간이 불타고 민간인 삼만 명이 살해된 과정을 그 오후에 읽었다. 무장대 백여 명의 은거지를 알아내지 못한 채 초토화작전이 일단락된 1949년 봄, 이만 명가량의 민간인들이 한라산에 가족 단위로 숨어 있었다. 남녀노소 가리지 않고 즉결심판이 이뤄지는 해안으로 내려가는 것이 굶주림과 추위보다 위험하다고 판단한 것이다. 3월에 임명된 사령관은 빗질하듯 한라산을 쓸어 공비를 소탕하겠다는 계획을 발표했고, 효율적인 작전 수행을 위해 먼저 민간인들이 내려오도록 삐라를 뿌렸다. 아이들과 노인을 등뒤로 숨기고, 총에 맞지 않기 위해 흰 수건을 나뭇가지에 묶어 들고 내려오는 깡마른 남녀들의 행렬이 자료 사진으로 실려 있었다.

*

처벌하지 않겠다던 약속과 달리 수천 명이 체포됐는데, 천운으로 풀려난 친척이 당숙네로 찾아왔대. 주정공장 뒤에 있는 십여 동 고구마 창고에 사람들이 갇혀 있다고, 외삼촌과 같은 동에 두 달 동안 있었다고 말해주려고. 그날 밤 엄마와 이모는 기뻐서 잠을 못 이뤘대. 어쨌든 오빠가 죽지 않은 걸 알게 됐으니까.

친척이 쪽지에 써준 요일과 시간에 맞춰 두 자매가 주정공장으로 찾아갔어. 약도에 표시된 대로 창고 뒤 언덕 모퉁이에서 기다리니까 청년 여덟이 줄을 지어 식수통을 지고 올라왔대. 그중 맨 뒤에 있던 사람이 외삼촌이었어. 오래 굶주려선지 더 작아진 체구에 머리가 부석부석 헝클어지고, 늘 장난기 있던 특유의 표정이 사라져서 낯설게 느껴졌대.

양쪽에서 안기는 동생들을 마주 안지 않고 멍하게 서 있는 외삼촌한테, 인솔을 맡은 듯 어깨에 흰 띠를 두른 젊은 남자가 말했대. 눈감아줄 테니 물길어올 때까지만 이야기하고 있으라고. 그 사람들이 돌아올 때까지 십 분이 채 걸리지 않았는데, 그때 엄마는 오

래 후회하게 될 말을 했어.

오빠 머리가 무사 그러멘? 머리가 이상해.

중학교를 졸업하자마자 머리를 기른 외삼촌은 아침마다 거울 앞에서 빗 끝으로 옆 가르마를 타고 포마드를 발랐대. 오늘 누구를 만나느냐고 엄마가 물으면, 엄마 단발 가르마 옆으로 기름을 조금 발라주며 존댓말로 놀렸대. 삼춘은 꼭 누게 봐사만 머리를 빗수꽈? 외삼촌은 읍내에 생긴 임시 초등교원 양성소에 들어가 준교사 자격증을 딸 거란 이야기를 엄마에게만 가끔 했는데—너만 알암시라. 시험 붙으민 어멍 아방헌티 고를 거라—, 엄마가 숙제하다 한자 획순을 물어보면 옥편 찾는 법을 알려주며 말했대. 나중에 너도 그디 가민 어떵허냐? 읍내에는 여선생도 몇 명 이서. 경 하젠 허민 중학교도 들어가야 허메.

하지만 그날 외삼촌은 다른 사람처럼 모든 것에 무심해 보였대. 감정 없는 목소리로 부모님과 막내의 생사를 묻고, 사실대로 답하는 이모 눈을 빤히 바라보고만 있었대. 그 눈을 꿰뚫으면 볼 수 있는 뭔가가 이모의 얼굴 너머에 있는 것처럼. 이모가 싸온 주먹밥을 입에 욱여넣고 씹다가, 일행의 모습이 멀리서 보이자 뒤돌아보지 않고 달려가 제 몫의 물통을 받아들었대.

다음주 같은 요일이 다가오자 외증조할머니가 가락지를 팔아 쌀과 찬거리를 샀어. 외동딸을 여읜 뒤 그동안 제대로 먹지도 기동하지도 않다가 자리를 털고 일어난 거야. 양은 도시락 하나에 쌀밥을 눌러 담고, 다른 두 개에다 삼 남매가 하나씩 먹을 찐 계란, 구운 생선 한 마리, 감자랑 양파를 넣고 볶은 돼지고기를 싸줬대.

처음과 달리 외삼촌은 멍해 보이지 않았대. 정숙아, 정심아, 하고 이름을 부르고, 방금 물을 묻혀서 만진 것 같은 머리를 가리키며 엄마에게 말했대.

인제 오빠 머리 안 이상하지?

그 말이 듣기 좋았다고 엄마는 말했어. 그날은 셋이 바위에 걸터앉아 절반 넘게 도시락을 먹었다고. 다 같이 웃기도 했다고. 헤어지기 전에 손도 마주잡았다고.

다시 다음주를 기다려 자매가 같은 장소로 갔는데 아무도 나타나지 않았대. 한 시간 가까이 기다리고 있으니까 근처 집에 사는 아주머니가 담장 너머로 이모에게 소리쳐 말해줬대. 창고에 있던 사람들을 간밤에 배로 실어갔다고.

남의 말만 믿고 자리를 떴다가 엇갈리면 안 된다고, 어두워질 때까지 기다리자고 이모가 엄마에게 말했대. 엄마는 가끔 졸기도 하고, 음식 냄새를 맡은 어느 집 개가 왔기에 머리를 쓸어주고 목을 간질여줬는데, 이모는 눈길 한 번 안 주고 길모퉁이만 보고 있었대.

*

나는 눈을 감는다.

먼 서향 창의 블라인드 틈으로 점점 깊이 들어와 마침내 내 얼굴까지 다다랐던 열람실 복도의 햇빛이 생생해졌기 때문이다. 방금 읽은 숫자들 아래 낭자하게 흐르는 피를 단박에 휘발시키려는 듯 찬란한 빛이었다. 눈이 부셔 자리를 옮기기 직전에 읽은 각주가, 한밤의 일에 대한 증언이었는데도 빛을 쏘고 있었던 것처럼 기억된 건 그 때문일 거다.

열두 시간 가까이 밤배에 실려 목포항에 도착했는데, 다시 밤이 될 때까지 하선을 시키지 않았습니다. 종일 먹지도 마시지도 못해 기진한 상태로 배에서 내렸어요. 부슬비가 내려 부교가 몹시 미끄러웠던 기억이 납니다. 천 명도 넘는 사람들로 선착장이 가득 찼는데, 총을 멘 경찰 수백 명이 그 자리에서 우리를 줄 세웠습니다. 여자는 여자끼리, 남자는 남자끼리, 18세 이하는 따로 모았어요. 분류하는 데만 한참 시간이 걸렸습니다. 여름이었지만 밤비를 계속 맞으니 기침하는 사람, 휘청거리는 사람, 주저앉는 사람 들이 사방에서 나왔어요. 호송차 여러 대에 올라타기 시작하는데 줄 뒤쪽에서 젊은 여자가 아니메, 아니메, 하고 울부짖었습니다. 굶

주려 그랬는지, 무슨 병을 앓았는지 배에서 숨이 끊어진 젖먹이를 젖은 부두에 놓고 가라고 경찰이 명령한 겁니다. 그렇게 못한다고 여자가 몸부림을 치는데, 경찰 둘이 강보째 빼앗아 바닥에 내려놓고 여자를 앞으로 끌고 가 호송차에 실었어요.

이상한 일입니다. 내가 그 말 못할 고문 당한 것보다…… 억울한 징역 산 것보다 그 여자 목소리가 가끔 생각납니다. 그때 줄 맞춰 걷던 천 명 넘는 사람들이 모두 그 강보를 돌아보던 것도.

*

눈을 뜨고 나는 인선의 얼굴을 마주본다.

내려가고 있다.
수면에서 굴절된 빛이 닿지 않는 곳으로.
중력이 물의 부력을 이기는 임계 아래로.

*

이건 반짇고리 함에 있었어.
검붉은 비단으로 편지를 감싸며 인선이 말한다.
뚜껑 안쪽에 감쪽같이 꿰매져 있었어. 꺼내와달라고 엄마가 말하지 않았으면 영원히 몰랐을 거야.

그 비단이 어딘가 낯익어 보였던 이유를 그제야 나는 깨닫는다. 반짇고리 함의 양철 뚜껑을 감싼 누비 비단과 같은 천이다. 보호색으로 숨긴 걸까, 나는 생각한다. 편지를 읽을 때마다 실밥을 잘랐다가 다시 꿰맸을까.

외삼촌의 편지가 당숙네로 처음 배달된 건 1950년 3월이야.

인선이 말한다.

그 편지에 엄마가 답장을 써서 외삼촌이 5월에 다시 보낸 편지가 이거야. 처음 왔던 편지는 이모가 가져가서 이것만 엄마 것이 되었대.

서울에서 살았다던 인선의 이모에 대해 나는 어렴풋이 알고 있다. 어머니보다 키와 목소리가 크고 이목구비가 수려한 사람이었다고 인선이 말한 적 있었다. 여름방학이면 손녀를 데리고 섬으로 와 길게는 달포씩 함께 지냈다고 했다. 첫 손녀보다 어린 조카딸을 귀여워해 겨울이면 목도리나 장갑을 떠서 보내주었다고, 인선이 중학교에 들어갈 무렵 병을 얻어 일찍 세상을 떠났다고 했다.

첫 편지를 받은 직후에 이모는 중매로 결혼했어.

인선이 눈썹을 모으자 낯익은 주름이 미간에 파인다.

그런 상황에 어떻게 결혼이 가능했는지 지금 생각하면 이상하지만, 당시 서청들의 무법 행위가 상상을 넘어섰다고 엄마는 말했어. 강간과 납치 살인이 흔하게 벌어지니까 적당한 혼처만 있으면

서둘러 처녀들을 결혼시키는 분위기였다고. 정숙이에게 눈물짓지 말라고 전하라는 이 추신은, 결혼 전날 언니가 밤새 오빠 걱정을 했다고 엄마가 쓴 편지에 대한 답이었어.

*

편지가 담긴 꾸러미를 무릎 앞에 내려놓은 인선이 그 위에 손바닥을 얹는다. 스스로 비단을 젖히고 빠져나올 무엇이 들어 있기라도 한 듯 신중한 동작이다.

다음달에 전쟁이 터졌고 편지는 더이상 오지 않았어.

인선이 나직이 말한다.

하지만 엄마는 걱정하지 않았어. 대구형무소는 낙동강 전선 아래쪽에 있으니까 괜찮을 거라고 외가 어른들이 안심시켜주었대.

그녀의 손이 꾸러미에서 떨어져나와 무릎 위에 놓인다.

대부분의 제주 남자들처럼 이모부도 해군으로 참전했어, 인선이 말을 잇는다.

삼 년 만에 무사히 돌아올 때까지 엄마도 이모도 가슴을 졸였대. 한라산 금족령이 풀린 것도 그 무렵이어서, 긴 더부살이를 마치고 당숙네를 나온 외가 어른들이 다시 집을 올릴 때 엄마도 함께 돌을 쌓고 나무를 날랐대. 하지만 애써 지은 집에 그분들은 일 년도 채 살지 않았어. 휴전 후 섬으로 돌아오는 대신 서울에 자리를 잡고 미군 보급품을 떼어 팔던 친척이 외종조부에게 동업을 제안한 거야. 섬을 떠나고 싶어하던 이모부도 이모와 함께 가기로 했고, 엄마는 이 집에 남아서 외증조할머니를 모시는 걸 택했어.

*

그렇게 헤어지기 전에 두 자매가 함께 대구형무소에 찾아간 게 1954년 5월이야.

인선의 고요한 목소리가 정적 가운데 울린다.

엄마가 열아홉 살, 이모가 스물세 살 되던 해에.

*

그곳에 외삼촌은 없었어.

사 년 전 7월 진주로 이송됐다는 기록만 남아 있었어. 바로 가는 차편이 없어서 두 사람은 부산으로 갔대. 역전 여인숙에서 하룻밤을 묵고, 날이 밝는 대로 진주로 가서 다시 형무소로 가는 버스를 탔어.

그곳에도 외삼촌은 없었어. 이감 기록도 존재하지 않았어. 진

주에서 하룻밤을 더 묵은 뒤 두 사람은 여수항으로 갔대. 엄마를 배웅한 뒤 서울로 가겠다고 이모가 고집을 부려서. 제주 가는 배를 대합실에서 함께 기다리는 동안 이모가 엄마에게 말했대. 포기하자고. 오빠는 죽었다고. 진주로 이감됐다는 날짜를 기일로 하자고.

*

삭은 종이 뭉치들이 나왔던 상자 속으로 인선이 손을 밀어넣는다. 보지 않고 더듬는 것만으로 안에 있는 것들을 구별할 수 있는 듯, 이내 스테이플러로 철한 종이 묶음을 꺼내 나에게 내민다.

훌쩍 시간을 건너뛴, 형광 코팅제가 들어간 듯 매끄러운 A4용지 묶음이다. 일련번호가 매겨진 수기 명부 사본으로, 세로쓰기로 적힌 수백 명의 이름들 위편에 1949년 7월의 한 날짜가 스탬프로 찍혀 있다. 반면 아래쪽 비고란에 찍힌 날짜는 1950년 7월 9일, 27일, 28일로 각기 다르다. 세번째 페이지 상단에 적힌 한 사람의 이름 옆에 연필 선이 세로로 그어져 있다.

姜
正
勳

이름 아래 비고란에 숫자 '1950. 7. 9'와 '진주 이송' 스탬프가 나란히 찍혀 있는 것을 나는 본다. 이상한 점은 그 페이지의 모든 비고란에 찍힌 진주 이송 스탬프 아래 수기 글씨가 숨어 있는 것이다. 한눈에는 알아볼 수 없지만, 서른 줄 넘게 반복되며 도장 사이로 빠져나온 획들을 종합해 읽을 수 있다. *군경에 인도.*

이걸 어디서 구했어?

고개를 들고 내가 묻자 인선이 대답한다.

내가 구한 게 아니야.

그럼 누가, 라고 물으려다 나는 입을 다문다. 이런 종류의 서류 사본을 손에 얻는 과정은 쉬운 것이 아니다. 가볍고 주름진 두 손이 이불 속에서 뻗어나와 내 두 손을 잡던 순간이 스쳐간다. 잘 놀다 가세요. 의심과 신중함, 무미한 따스함이 섞인 두 눈이 나를 마주보았다.

*

그해 경북 지역에서 죽은 보도연맹 가입자가 대략 만 명이야.

인선이 말한다.

너도 알지, 전국에서는 최소한 십만 명이 죽었다고 하잖아.

고개를 끄덕이는 동시에 나는 입속으로 묻는다. *더 죽이지 않았나.*

1948년 정부가 세워지며 좌익으로 분류돼 교육 대상이 된 사람들이 가입된 그 조직에 대해 나는 알고 있었다. 가족 중 한 사람이 정치적인 강연에 청중으로 참석한 것도 가입 사유가 되었다. 정부에서 내려온 할당 인원을 채우느라 이장과 통장이 임의로 적어 올린 사람들, 쌀과 비료를 준다는 말에 자발적으로 이름을 올린 사람들도 다수였다. 가족 단위로도 가입되어 여자들과 아이들과 노인들이 포함되었고, 1950년 여름 전쟁이 터지자 명단대로 예비검속되어 총살됐다. 전국에 암매장된 숫자를 이십만에서 삼십만 명까지 추정한다고 했다.

*

그해 여름 대구에서 검속된 보도연맹 가입자들이 대구형무소에 수용됐어.

바스락거리는 습자지에 싸인 사진 묶음을 집어들며 인선이 말한다.

날마다 수백 명씩 트럭에 실려 들어오는 사람들을 더 수용할 공간이 없게 되니까 재소자들부터 골라내 총살했어. 그때 죽은 좌익수 천오백여 명에 제주 사람 백사십여 명이 포함돼 있었어.

인선이 실을 풀고 습자지를 걷어내자 사진이 모습을 드러낸다. 전경으로 해골들이 바닥에 흩어져 있는, 화질이 조악한 흑백사진이다.

경산에 있는 코발트 광산이야. 1945년에 폐광돼서 당시엔 비어 있었어.

초점이 날아갔지만 뚫린 눈과 코의 형상을 알아볼 수 있는 전경의 해골들 뒤로, 높은 명도의 반소매 셔츠를 바지 위로 꺼내 입은 중년 남자 셋이 회중전등을 켜고 쪼그려앉아 있다. 무리하게 바닥에서 올려 찍은 앵글로 보아 천장이 매우 낮은 곳 같다.

약 삼천오백 명이 이곳에서 총살됐어. 대구형무소 재소자, 대구보도연맹 가입자, 경산경찰서 인근 창고에 수용됐던 경북 지역 가입자까지.

내가 들고 있는 명부 사본을 향해 인선이 손을 뻗는다.

여러 날에 걸쳐 군용 트럭이 광산으로 들어갔어. 새벽부터 밤까지 총소리가 들렸다는 주민들의 증언이 있어. 갱도가 시체로 가득 찬 다음엔 근처 골짜기로 장소를 옮겨서 총살하고 매장했어.

'강정훈'이라는 이름 옆으로 그어진 연필 선에 집게손가락을 얹으며 인선이 말한다.

여기 찍힌 스탬프 날짜가 7월 9일이니까, 외삼촌은 골짜기가 아니라 광산에서 총살됐을 거야. 28일 스탬프가 찍힌 사람들은 골짜기에서 죽었을 확률이 높고, 27일에 실려간 사람들의 유해는 두 곳 중 어느 쪽에 있을지 알 수 없어.

*

인선의 손가락이 거둬진 연필 선을 나는 본다. 청색 볼펜의 필압만큼은 아니지만 제법 힘주어 그은 밑줄이다. 손끝을 얹자 종이에 팬 실금이 느껴진다. 이 선을 그은 사람도 알았을까, 나는 생각한다. 인도 날짜와 총살 장소 사이의 관계를, 방금 인선이 한 것처럼 추정했을까.

*

1960년 여름이야, 여기서 죽은 사람들의 가족이 처음 모인 건. 전쟁 당시 수뇌부가 4 · 19로 물러난 직후에.

귀퉁이가 삭은 신문 조각들을 조심스럽게 넘겨간 인선의 손이 반으로 접힌 스크랩을 꺼낸다. 그녀가 두 손으로 그걸 펼치자, 광고가 실렸을 하단을 오려낸 사회면 전체가 한눈에 들어온다. 위령제 기사가 실렸던 곳과 같은 신문이다. 날짜는 위령제보다 한 달가량 앞서 있다.

십 년 만에 처음으로 갱도에 들어간 유족들에 대한 기사야. 그때 찍은 사진이 이건데, 어디서도 실어주지 않으니까 후일을 기약하고 유족들이 나눠 가진 거야.

인선의 말대로 기사에는 갱도 사진이 실려 있지 않다. 대신 광산 입구의 전경이 머리기사 옆에 실렸고, 사진 왼편에 유족회 대표의 인터뷰가 들어가 있다.

십 년 동안 갱도에 물이 흐르고 뼈들이 삭아서 흩어져 있는 상태였습니다. 온전한 형체를 갖춘 유해는 한 구도 없다고 보시면 되겠습니다. 우리는 수습할 장비도 인력도 없이 무작정 내려가본 거여서 사진 한 장만 찍고 올라왔습니다. 유족회가 자체적으로 추정한 숫자는 삼천 명이 넘는데, 제가 본 제1수평갱도에는 대략 오륙백 구의 유골이 있었습니다. 수직갱도 입구를 콘크리트로 막아놨는데, 그걸 뚫고 내려가 아래쪽 수평갱도를 살펴봐야 당시 상황을 알 수 있겠습니다.

실제로는 경북 방언의 억양을 입고 있었을 침착한 문장들 아래에서 무엇인가 새어나오고 있다고 나는 느낀다. 촛불의 빛을 타고 끈끈하게 흘러나오는 것, 팥죽처럼 엉긴 것, 피비린내나는 것이 있다.

어떻게 구하신 거야, 이런 기사들을?

얼굴을 들고 나는 묻는다.

경북에서 발행된 신문이 제주도에 배급됐을 리 없잖아.

직접 가서 산 거지, 하고 인선이 담담하게 대답했을 때에야 나는 깨닫는다. 지금 떠올려야 할 사람은 이불 속에서 주름진 손을 꺼내 나에게 내밀던 노인이 아니라는 것을. 흑백사진 속에서 카메라를 바라보던, 자그마한 몸 전체에서 생기가 배어나오던 여자라는 걸.

대구역에서 열린 위령제에 참석했던 것 같아. 그날 받아온 유인물이 있었어.

역전 위령제에 관한 기사가 아직 펼쳐져 있다. 나는 촛불을 옮겨 다시 사진을 본다. 군중의 삼분의 이가량이 여자들이다. 긴 소복의 허리를 동여매거나 무릎까지 오는 흰 원피스를 걸친 수백 명의 여자들이 플래카드를 향해 서 있다.

*

이런 옷이었던가. 이목구비가 흐릿하게 뭉개어진 여자들의 옆모습을 보며 나는 생각한다. 이렇게 목깃이 둥근 반소매 원피스를 그 여자도 입고 있었나. 일어서서 상자 속 액자를 꺼내 확인하고 싶다고 생각했을 때 인선의 손이 허공을 건너온다. 그녀가 내민 서류봉투에 군청색 펜으로 적힌 수신인의 이름을 나는 읽는다.

姜正心 貴下.

발신인 자리에 대구 주소와 함께 찍힌 청보랏빛 직사각형 스탬프에 촛불을 비춰 나는 묵독한다. 경북 지구 피학살자 유족회.

나는 싸늘한 봉투 속에 손을 넣는다. 팔절 갱지 십여 장을 반으로 접어 중철한 소책자를 꺼내든다. 따로 두꺼운 종이를 쓰지 않은 표지를 넘기자 첫 페이지에 편지글이 실려 있다.

유가족들의 피맺힌 원을 받들어 십 년 세월 그리던 임을 만나 고이 쉬게 해드릴 날이 곧 옵니다

'피해 유가족들은 낡은 공포심을 극복하고……'라는 문장을 쓴 사람과 동일인이 아닐까 추측되는 길고 격앙된 문장이다. 다 읽지 않고 페이지를 넘기자 조악한 화질의 흑백 단체사진이 나온다.

1960년 겨울에 코발트 광산 앞에서 찍은 사진이야. 이때 엄마는 가지 않은 것 같아. 대신 유족회원으로서 회비를 냈기 때문에 이 우편물을 받은 거야.

사진 가운데 서 있는 안경 쓴 남자를 집게손가락으로 짚으며 인선이 말한다.

이 사람이 유족회장이야. 이듬해 5월 군사 쿠데타 직후 체포돼서 사형 언도를 받았어. 옆에 있는 총무는 십오 년 형이 나왔어.

다음 페이지를 넘기자, 유족들이 나눠 가졌다던 갱도 사진이 더욱 조악한 화질로 복사되어 캡션과 함께 실려 있다. 내가 미리 보지 않았다면 거의 형체를 알아볼 수 없었을, 흑과 백만 남기고 그 사이의 색조와 세부가 지워진 사진이다. 그 페이지의 갈피에 중앙석간지 사회면의 단신 스크랩이 끼워져 있다.

*

전체적으로 손때가 묻은, 가로와 세로로 접혔다 펴지며 생긴 십자 선이 희끗하게 닳아 있는 신문 조각이다. '사형 언도死刑言渡' 라는 단어에서 가장 복잡한 글자 아래 독음을 적은 청색 볼펜 글씨 '도'를, 그 옆의 여백에 눌러쓴 대구 국번 전화번호를 나는 읽는다.

이 번호는……

이것과 같아.

손을 뻗어 소책자의 페이지를 더 넘겨간 인선의 손이 마지막 장 하단을 가리킨다. 회비와 성금을 보낼 농협 계좌번호와 예금주의 이름, 그리고 대구 국번의 전화번호가 인쇄되어 있다.

*

내가 왼손으로 감싸쥔 종이컵 속에서 약하지만 분명한 열기가 새어나오고 있다. 초를 에워싼 흰 코팅 종이가 곡면의 거울처럼 빛을 반사해, 위에서 보면 불을 밝힌 둥근 방 같다. 그 환한 방을 들여다보며 나는 생각한다.

1961년 여름 이 집에는 전화가 없었을 거다. 전화를 걸기 위해서는 시내로 나가야 했을 거다.

간밤에 내가 눈을 헤치고 들어왔던 길을 거꾸로 걸어나가는 여자의 경로가 종이컵 안쪽 빛나는 곡면 위로 겹쳐진다. 건천으로 내가 미끄러졌던 갈림길에서 방향을 틀어, 정류장이 있는 큰길이 나올 때까지 우거진 여름 나무들 사이를 걷는다.

두 번 접힌 신문 조각이 주머니에 들어 있었을까, 나는 생각한다. 가방에 담겼거나 끈끈한 주먹에 쥐여 있었을까. 이미 실무진이 수감된 유족회 사무실에 왜 전화를 걸려고 한 걸까. 정말 전화를 걸었을까. 걸었다면 누가 전화를 받았을까.

*

외증조할머니가 돌아가신 건 1960년 2월이었어, 인선이 말한다.

그때 엄마는 스물다섯 살이었어. 당시로선 한참 혼기를 넘겨서 모두 걱정했지만 엄마는 결혼을 원하지 않았어. 시집갈 때까지 염려 말고 지내도 좋다고 외가에서 말했지만 그동안 모아둔 돈으로 이 집을 샀고, 계속 혼자 농사를 지었어. 그러다 여름부터 유해를 찾기 시작한 거야.

잠시 인선이 말을 끊는다.

이 기사를 읽을 때까지 약 일 년 동안.

*

정적 속에서 우리는 서로를 마주본다.

더 내려가고 있다.

굉음 같은 수압이 짓누르는 구간, 어떤 생명체도 발광하지 않는 어둠을 통과하고 있다.

그후로는 엄마가 모은 자료가 없어, 삼십사 년 동안.

인선의 말을 나는 입속으로 되풀이한다. *삼십사 년.*

…… 군부가 물러나고 민간인이 대통령이 될 때까지.

6
바다 아래

십자 선이 희끗하게 닳은 그 신문 조각에 나도 모르게 손을 얹은 것은, 거기 전화번호를 적은 사람의 지문을 만지고 싶은 충동 때문이었다. 내처 뻗어간 내 손이 삭은 종이 뭉치를 집었을 때 인선은 제지하지 않았다. 1961년의 군사재판이 토막 기사로 실린 신문의 변색된 스크랩을 넘기자 과연 삼십사 년의 시간을 건너뛴 스크랩이 나온다. 가로쓰기로 조판이 바뀐, 한두 개의 한자 단어만 헤드라인에 남은 신문기사다.

여기서부터는 나도 기억나, 인선이 말한다.

어느 해인가 여름에 다니러 와보니까 중앙 일간지와 경북 일간지가 배달되고 있었어. 중앙지는 이틀, 지방지는 사흘 걸려서 우편으로 왔어. 의아했지만 엄마에게 묻진 않았어. 주변에 누가 구

독을 권했거나 무료로 보내주는 거겠거니 했지.

1995년 기사의 헤드라인 위로 나는 촛불을 비춘다. 경산의 시민단체가 코발트 광산 앞에서 최초의 진혼제를 올렸다는 기사다. 다음 스크랩은 1998년 기사다. 경북 전역에서 모인 유족들이 광산 앞에서 합동 위령제를 지냈다. 이어 1999년의 스크랩은 대부분 사설들이다. 지금이라도 광산의 유해를 발굴해야 하며 유족들이 연로하니 서둘러야 한다는 내용이다. 모든 스크랩의 상단 여백에 검은 유성펜과 연필로 연도와 날짜가 적혀 있다. 1960년의 청색 볼펜 글씨와 같은 필적이지만 필압이 다소 줄었고 글씨가 두 배 가까이 커져 있다.

이어진 2000년의 첫 스크랩은 신문 1면으로, 광산 입구에 모인 노인들을 찍은 컬러사진이 실려 있다. 사십 년 만에 코발트 광산 유족회가 재결성되었다는 기사다. 그 시점부터 스크랩의 수가 급격히 늘어난다. 2001년으로 넘어가자 공중파 방송사와 경산의 시민단체, 유족회 대표들이 함께 탐사 팀을 꾸려 제2수평갱도로 진입할 거라는 예고 기사들이 보인다. 진입 당시의 사진, 방송 전 선공개된 다큐멘터리 프로그램의 스틸 사진들이 뒤를 잇는다.

바스락거리는 신문 조각들을 한 장씩 넘길 때마다 뼈들의 형상이 촛불의 빛 속에 드러난다. 측면에서 촬영된 머리뼈들, 두 개의 텅 빈 안와와 움푹 파인 코가 정면을 향한 얼굴들, 대퇴골과 정강이뼈들을 나는 본다. 흙 사이로 비어져나온 어깨뼈와 척추와 골반

뼈가 느슨히 연결돼 사람의 형상을 이룬 유해도 있다.

드문드문 연필로 밑줄이 그어진 기자의 참관기 위로 나는 촛불을 기울인다. 지면과 연결된 수직갱도 입구에서 탐사 팀이 다이너마이트를 터뜨렸다고 기자는 썼다. 오십 년 동안 입구를 밀봉했던 콘크리트가 부서지자, 갱도를 타고 내려갈 공간도 없이 어마어마한 유해들이 쏟아져나왔다. 그 입구가 처형 장소였던 것이다. 거기 세워진 사람들이 총을 맞고 갱도에 떨어진 것으로 추정된다고 기자는 썼다. 아래쪽의 제2수평갱도를 시신들이 채운 뒤 그 위로 떨어진 시신들이 제1수평갱도까지 차올라 흩어진 것으로 보인다고, 지상과 맞닿은 수직갱도 입구까지 시신으로 가득찼을 때 군인들이 떠난 것으로 추정된다고 썼다.

*

나는 스크랩 뭉치를 내려놓는다.

더이상 뼈들을 보고 싶지 않기 때문이다. 이것들을 모은 사람의 지문과 내 지문이 겹쳐지기를 더이상 원하지 않는다.

*

그건 일회적인 탐사였을 뿐이야.

두 손으로 바닥을 짚고 몸을 일으키며 인선이 말한다.

정식으로 유해를 수습하기 시작한 건 그후 육 년이 지나서야.

캄캄한 책장 아래 칸을 더듬어가던 그녀의 손이 멈춘다.

삼 년 동안 사백 구를 수습하고 2009년에 중단했으니까, 지금도 삼천 구 이상이 갱도에 남아 있어.

천 페이지가량 되어 보이는 큰 판형의 책을 꺼내며 인선이 말한다.

그 삼 년은, 여기뿐 아니라 전국의 학살 터에서 유해가 발굴된 기간이기도 해.

인선이 바닥에 뉘어 내 쪽으로 천천히 밀어준 그 책의 표지를 나는 일별한다. 전국 단위 유해 발굴을 잠정 마무리하며 발간된 자료집이다.

…… 활주로 아래 뼈들의 사진을 내가 본 것도 그때야.

*

그걸 펼치고 싶지 않다. 어떤 호기심도 느끼지 않는다. 그 페이지들을 건너가라고 누구도 강요할 수 없다. 복종할 의무가 나에게 없다.

그러나 떨리는 손이 뻗어나가 표지를 연다. 커다란 플라스틱 바구니에 부위별로 추려진 뼈들이 산더미처럼 쌓인 사진들을 넘겨간다. 수천 개의 정강이뼈. 수천 개의 해골. 수만 개의 늑골 더미. 수백 개의 목도장들, 혁대 버클들, 중中 자가 새겨진 교복 단추들, 길이와 굵기가 다른 은비녀들, 유리알 속에 날개가 들어 있는 것 같은 구슬치기용 구슬들의 사진이 사백여 페이지에 걸쳐 흩어져 있다.

*

결국 엄마는 실패했어.

먼 곳에서 들리는 듯 인선의 목소리가 낮아진다.

뼈를 찾지 못했어, 단 한 조각도.

얼마나 더 깊이 내려가는 걸까, 나는 생각한다. 이 정적이 내 꿈의 바다 아랜가.

무릎까지 차올랐던 그 바다 아래.

쓸려간 벌판의 무덤들 아래.

*

두 개의 스웨터와 두 개의 코트로도 막을 수 없는 추위가 느껴진다. 바깥이 아니라 가슴 안쪽에서 시작된 것 같은 한기다. 몸이 떨리고, 내 손과 함께 흔들린 불꽃의 음영에 방안의 모든 것이 술렁인 순간 나는 안다. 이 이야기를 영화로 만들 것인지 물었을 때 인선이 즉시 부인한 이유를.

피에 젖은 옷과 살이 함께 썩어가는 냄새, 수십 년 동안 삭은 뼈들의 인광이 지워질 거다. 악몽들이 손가락 사이로 새어나갈 거다. 한계를 초과하는 폭력이 제거될 거다. 사 년 전 내가 썼던 책에서 누락되었던, 대로에 선 비무장 시민들에게 군인들이 쏘았던 화염방사기처럼. 수포들이 끓어오른 얼굴과 몸에 흰 페인트가 끼얹어진 채 응급실로 실려온 사람들처럼.

*

나는 몸을 일으킨다.

내가 든 촛불을 통과한 인선의 엷은 그림자가 책장 옆의 흰 벽위로 드리워져 있다. 벽으로 다가서자 그녀의 그림자가 사라진다. 초를 들지 않은 손으로 바랜 벽지를 쓸어나가 인선의 얼굴이 있던 자리에 얹어본다. 그 서늘한 벽의 단단함이 이 이상한 밤의 비밀을 알게 해줄 것처럼. 내가 등지고 있는 고요한 인선이 아니라, 사라진 그림자에게만 물을 수 있는 말이 있는 것처럼.

*

세상에서 가장 나약한 사람이 엄마라고 생각했어.

갈라진 인선의 목소리가 정적을 그으며 건너온다.

허깨비.
살아서 이미 유령인 사람이라고 생각했어.

방금 펼쳐둔 대로 입을 벌린 책을 지나쳐 나는 캄캄한 창을 향해 다가간다. 초를 모아쥔 채 창을 등지고 인선을 향해 선다.

그 삼 년 동안 대구 실종 재소자 제주 유족회가 정기적으로 그 광산을 방문했다는 걸 나는 몰랐어.
엄마가 그들 중 한 사람이었다는 것도.
그때 엄마 나이가 일흔둘에서 일흔넷, 무릎 관절염이 악화되던 때야.

내가 걸음을 뗄 때마다 촛불의 음영이 방의 모든 것을 흔든다. 인선의 앞으로 돌아가 앉은 뒤에도 그 술렁임이 멈추지 않은 것은 내 숨이 아직 한기에 떨고 있기 때문이다.

*

재작년 봄이야, 그 유족회장의 연락처를 알아내 제주 시내에서 만난 건.

전쟁이 나던 달에 유복자로 태어났다는, 아직 아버지의 유해를 포기하지 않았다는 퇴직 교사였어.

부고를 제때 못 들어 문상을 못했다고 그 사람은 사과했어. 유족회에서 가장 열정적인 멤버가 엄마였다고, 제주에선 아무도 생각 못했던 1960년에 이미 경산에 다녀온 사람이었다고 말했어. 진주 이송자 명부 사본을 대구형무소에 요청하자는 의견도 엄마가 낸 거였다고. 승합차를 대절해 다 같이 항의방문을 하고서야 명부가 나왔다고, 회원들이 찾는 가족들의 이름을 엄마가 일일이 찾아내 유해가 묻혀 있을 장소를 추정해줬다고 했어. 시내에서 모이면 집이 멀다며 늘 엄마가 가장 먼저 일어섰다고, 그때마다 두 손으로 회원들의 손을 잡았다고 했어.

그 사람이 엄마에 대해 마지막으로 기억한 건, 결국 유해 수습이 중단될 거란 소식을 듣고 다 같이 갱도에 들어간 날의 일이었어. 경산 유족회 총무가 손전등을 들고 일행을 안내해주었다고, 천장이 낮고 갱도 바닥에 물줄기 두 개가 흐르고 있어서 모두 헬멧을 쓰고 무릎까지 오는 장화를 신었다고 그 사람은 말했어. 흙

사이로 드러난 뼈들과 삭은 옷자락들이 아직 그대로인 구간을 허리를 굽혀 통과할 때, 다들 노인이니까 넘어지지 않으려고 서로를 붙잡았다고. 그때 엄마가 지팡이를 짚지 않은 손으로 그 사람 소매를 잡으면서 가만히 웃었다고 했어.

미안허우다, 잠깐만 신세 지쿠다예.

그 사람이 엄마를 부축해서 갱도를 빠져나왔는데, 인사를 나누고 헤어지기 직전에 경산 유족회 총무가 말했다고 했어.

당시 생존자가 세 명이라는 소문이 있는데, 제 생각엔 한 명이라고 보는 게 맞을 것 같습니다. 한 사람이 인근 민가의 문을 세 군데 두드린 거 아니겠습니까?

생존자란 말이 총무의 입술에서 떨어진 순간 모두 침묵했다고 했어.

반달이 떴는데 구름 한 점 없이 밝은 밤이었답니다. 피투성이 옷을 입은 앳된 청년이 갈아입을 옷을 달라고, 이 집에서 옷을 얻은 걸 아무한테도 말 안 할 테니 부탁한다고 사정했대요. 후환이 무서운 시절이라 두 집은 거절했는데 한 집에서 옷을 내줬답니다. 그 청년은 그걸 받자마자 얼른 마당에서 갈아입고 날래게 달음박질쳐서 사라졌답니다.

그 이야기에 심장이 죄어왔다고 그 사람은 말했어. 한마디도 놓치지 않으려고 귀를 세웠는데, 정신을 차리고 옆을 보니 엄마

가 쪼그려앉아 토하고 있었다고 했어. 위액만 게워져 나올 때까지 계속.

*

그 청년이 외삼촌이었을 확률이 0은 아니야.

인선이 속삭여 말한다.

지금 갱도에 있는 유해 삼천 구 중 어떤 것도 외삼촌일 수 있는 것처럼.

동의를 구하는 듯 그녀가 고개를 끄덕인다.

물론 추측할 수 있어, 그 사람이 외삼촌이었다면 어떻게든 이후에 섬으로 돌아왔을 거라고…… 하지만 확신할 수 있을까? 그런 지옥에서 살아난 뒤에도 우리가 상상하는 선택을 하는 사람으로 남을 수 있었을까?

*

그때부터 엄마 안에서 분열이 시작된 건지도 몰라.

두 개의 상태에 그날 밤의 오빠가 동시에 있게 된 뒤부터.

갱도 속에 쌓인 수천 구의 몸들 중 하나.

동시에, 불 켜진 집들의 대문을 두드리는 청년. 그곳에서 옷을 얻은 걸 누구에게도 말하지 않겠다고 약속하는 사람. 이건 얼른 태워버리십시오. *피투성이 수의를 마당에 남기고 암흑 속으로 달려 사라지는 사람.*

*

나는 설득되지 않았다.

어떻게 그가 살 수 있었을지 의문했을 뿐이다.

총살 직전 정신을 잃고 갱도로 떨어져 총알을 피했을까. 군인들이 떠난 뒤 시체들 속에서 눈을 떴을까. 달빛이 새어들어오는 제1수평갱도 입구를 향해 기어갔을까.

*

어떻게 돌아오신 거야, 라고 내가 인선에게 물은 것은 갱도를 기어가는 그의 눈에 그녀의 눈이 겹쳐졌기 때문이었다. 백자 같은 얼굴의 남자를 닮은 눈, 물기를 머금은 듯 광채를 쏘는 눈으로 인선이 되묻는다.

누구 말이야?

내 질문이 상대를 다치게 할지도 모른다는 망설임을 이기고 나는 말한다.

……네 아버지.

그녀는 다치지 않았다.

내가 생각한 것보다 강하다.

주저하지 않으며, 더이상 목소리를 낮추지도 않으며 대답한다.

그것 때문에 엄마가 아버지를 찾아갔던 거야, 어떻게 살아서 돌아왔는지 물으려고.

*

여름이었다고 했어, 두 사람이 처음 만난 건.

대구형무소에 수감됐던 사람이 십오 년 형기를 마치고 돌아왔다는 소문을 엄마는 일 년 전부터 들어 알고 있었어. 아랫마을의 친척집에 신세 지던 아버지를 멀리서 보기도 했지만, 찾아가 만날 결심을 하기까지는 시간이 필요했다고 했어.

조용한 배척 속에서 아버지는 버티고 있었어.

고문으로 얻은 수전증이 있었지만, 신세 지는 집의 귤 농사를 거들 수 없을 정도는 아니었어. 감옥에서 보낸 마지막 몇 년간 타일 기술도 배워서, 보수 없이 마을 일을 해주며 천천히 평판을 쌓아갔어. 하지만 군사정권하에, 한 달에 두 번 경찰이 동태를 조사하러 오는 전과자와 허물없이 지내려 하는 사람은 없었어.

그 여름 저녁 길목에서 기다리던 엄마가 삼춘, 하고 불렀을 때 아버지가 뒤를 돌아본 건, 그렇게 살갑게 자신을 부를 사람은 없다고 생각했기 때문이었어. 외삼촌의 이름을 듣고서야 아버지 눈이 흔들렸다고 엄마는 말했어. 외가에 오곤 하던 한지내 남매들 중 하나란 걸 알아본 거야.

하지만 아버지는 엄마와 이야기하고 싶어하지 않았어. 늦은 가을에 엄마가 다시 찾아갔을 때도 정중히 거절했어. 해가 바뀌고 이른봄에 다시 찾아갔을 때에야 말했대. 눈들이 무서우니 시내에서 만나자고.

돌아온 일요일 오후 담배 연기 자욱한 찻집에서 마주앉았을 때 엄마는 서른 살, 아버지는 서른여섯 살이었어.

그날 엄마가 가장 먼저 알게 된 건 아버지가 1950년 봄에 부산으로 이감됐다는 거였어. 대구고등법원이 경상도뿐 아니라 전라도와 제주도 항소심까지 맡고 있어서, 항소심 판결을 받고 대구형무

소에 수감되는 사람들이 누적되며 공간이 부족해진 거야. 그 봄에 장기 복역자들 위주로 대규모 이감이 이뤄진 건 그렇게 단순히 실무적인 이유에서였다고 아버지는 말했어. 제주 사람들 중에서 불운하게 형량이 높은 쪽이었는데, 그게 오히려 자신을 살게 했다고.

하지만 부산도 안전하지 않았다고 아버지는 말했대. 부산 보도연맹 가입자들이 7월부터 밀려들어왔다고. 형무소 안마당에 임시 건물을 올릴 때 수감자들이 동원됐다고. 휴식시간마다 아버지가 마당가 천막을 건너다봤는데, 배가 고파 늘어진 반벗은 아이들, 머리를 땋거나 쪽찐 여자들, 삼복더위에도 갓을 벗지 않는 노인들이 틈 없이 붙어앉아 땀을 닦고 있었다고.

9월부터 그 사람들이 트럭에 실려 나가며 사동에 흉흉한 소문이 돌았대. 재소자 중에서도 시국 사범들을 골라내 죽일 거라고. 소문대로 제주 사람 이백오십 명 중 구십여 명이 불려 나갔다고 아버지는 말했어. 남은 제주 사람들이 초조하게 다음 차례를 기다리고 있을 때 갑자기 호출이 멈췄다고. 인천에 연합군이 상륙해 전세가 역전되었다는 걸 나중에 알았다고.

*

물잔을 엎지를지 모를 손들이 호주머니에 숨어 있었을까, 나는 생각한다.

아니, 숨지 않고 탁자 위에 가지런히 놓여 있었을까.

*

엄마가 정말 알고 싶던 이야기를 아버지가 들려준 건 그다음이었어.

외삼촌이 대구형무소에 수감된 여름부터 아버지가 부산으로 이감된 봄까지 약 팔 개월 동안, 겹쳤던 복역 기간에 두 사람이 그곳에서 만난 적이 있는지. 그랬다면 아버지가 무엇을 기억하는지.

그 여름 제주 사람 삼백 명이 새로 들어온 게 반가운 일이었다고 아버지는 말했대. 무엇보다 가족의 소식을 들을 기회였으니까. P읍의 국민학교로 끌려갔던 세천 사람들이 백사장에서 총살된 걸 아버지가 알게 된 게 그때였어. 그 소식을 전해준 사람이 외삼촌 이야기를 했대. 외가가 세천리라는 청년과 함께 배를 타고 왔는데 옆 사동에 배정됐다고. 이름만 듣고 누군지 바로 알았다고 아버지는 말했대. 함께 학교를 다닌 적은 없지만, 어렸을 때 동생들과 내 너머로 놀러왔던 기억이 남아 있었다고. 딸 많은 집 아들들이라 그랬는지 마음이 맞아, 마당가 봉숭아를 돌로 찧어 동생들 손가락에 감아주고 제 손톱도 물들이면서 놀았다고.

하지만 그게 전부였어.

더이상 앞에 있는 사람에게 들려줄 말이 없었어, 아버지에게는.

몇 차례 내가 엄마에게 물었어. 아버지가 이 집에 들어와 살게 된 건 그 첫 만남 후 오 년이 더 흘러서인데, 그사이의 시간을 두 사람이 어떻게 보냈는지. 얼마나 자주 만났는지. 언제 가까워졌는지. 엄마는 한 번도 정확히 대답해주지 않았어. 대신 엉뚱한 이야기만 했어. 이를테면 아버지가 엄마에게 들려줬다는, 주정공장에서 받았던 고문들에 대해서. 계급장 없는 군복을 입고 이북 말을 쓰던 남자가 아버지를 어떻게 다뤘는지. 옷을 벗기고 의자에 거꾸로 매달 때마다 무슨 말을 했는지.

씨를 말릴 빨갱이 새키들, 깨끗이 청소하갔어. 죽여서 박멸하갔어, 한 방울이라도 빨간 물 든 쥐새키들은.

수건이 덮인 아버지 얼굴에 그 사람이 끝없이 물을 부었다고 했어. 젖은 가슴을 야전 전화선으로 묶고 전기를 흘려넣었다고 했어. 산사람과 내통한 친구들의 이름을 대라고 그 사람이 속삭일 때마다 아버지는 대답했다고 했어. 모루쿠다. 죄 어수다. 나 죄 어수다.

그 이야기가 끝날 때마다 엄마는 맥락 없이 자책했어.

그때 내가 무사 오빠신디 머리가 이상하다고 해실카? 무사 그런 말밖에 못해실카?

기억나는 건, 그렇게 물을 때면 엄마가 내 손을 놓았던 거야. 너무 세게 잡아 아플 정도였던 악력이 거품처럼 꺼졌어. 누군가가 퓨즈를 끊은 것같이. 듣고 있는 내가 누군지 잊은 것처럼. 찰나라도 사람의 몸이 닿길 원치 않는 듯이.

3부

불꽃

느껴져?

성대를 울리지 않고 입술을 달싹여 인선이 물었다.

뭐가, 하고 나는 되물었다.

지금 말이야. 따뜻해졌지 않아? 아주 조금.

그런가, 나는 스스로에게 물었다. 더이상 한기에 숨이 떨리지 않나. 증류된 기체 같은 무엇이 번져 어른거리고 있나. 캄캄한 보리밭에서 막 눈을 뜬 아이. *인제 오빠 머리 안 이상함지.* 밑단이 오므려진 점퍼 속, 고슬고슬한 머리카락이 풀같이 돋은 아기.

대답 대신 나는 손을 뻗어 뼈들의 사진 위에 얹었다.

눈과 혀가 없는 사람들 위에.

장기와 근육이 썩어 사라진 사람들.

더이상 인간이 아닌 것들.

아니, 아직 인간인 것들 위에.

이제 닿은 건가, 숨막히는 정적 속에서 나는 생각했다.

더 깊게 입을 벌린 해연海淵의 가장자리,

어떤 것도 발광하지 않는 해저면인가.

*

인선이 나에게 손을 내밀었다. 초를 건네주라는 것이다.

초를 들고 앞장서서 미닫이문을 여는 인선의 머리 위 천장으로 그림자가 날개처럼 퍼덕였다. 나도 바닥을 짚고 일어섰다. 열려 있는 안방을 지나며 희미하게 빛나는 수은 같은 게 옷장 앞에 고여 있는 걸 보았고, 먹에 잠긴 듯 캄캄한 무엇인가가 그 위에 웅크리고 있는 것 같아 멈춰 섰다. 그러나 불빛 없이는 아무것도 알아볼 수 없었다.

발뒤꿈치를 들고 마루를 가로지르다 말고 인선은 나를 돌아보았다.

보여줄게.

집게손가락을 입술에 얹은 채 그녀가 속삭였다.

뭘?

우리 나무들을 심을 땅.

마치 나 대신 동의하는 듯 그녀가 고개를 끄덕였다.

여기서 멀지 않아.

지금?

금방 다녀올 수 있어.

너무 어두운데, 나는 말했다.

초가 얼마 안 남았을 텐데.

아직 괜찮아, 인선이 말했다.

다 타기 전에 돌아오면 되지.

대답을 망설이며 나는 서 있었다. 그곳으로 가고 싶지 않았다. 하지만 이 정적 속에 더 머물고 싶지도 않았다.

수틀에 당겨 끼운 천처럼 팽팽한 침묵을 느끼며, 그걸 바늘처럼 뚫는 내 숨소리를 들으며 나는 인선에게 다가갔다. 그녀가 나에게 초를 넘겨주었다. 초를 받아든 내가 빛을 비추는 동안 그녀는 쪼그려앉아 작업화를 신었다. 일어선 그녀에게 나는 초를 넘겨주었다. 손발이 맞는 자매처럼, 내가 운동화를 신는 동안 그녀는 불빛을 비춰주며 서 있었다.

*

현관을 나서기 직전 나는 신발장 선반을 더듬어 성냥갑을 집었다. 흔들어보자 서너 개의 성냥개비가 부딪히는 소리가 났다. 코트 주머니에 그걸 넣고 마당으로 나섰다. 어둠 속에서 보이는 건 인선이 들고 있는 촛불의 반경뿐이었다. 떨어지는 눈송이들도 빛의 동그라미를 통과하는 동안에만 반짝이다 사라졌다.

경하야.

인선이 나를 불렀다.

내가 디딘 데만 딛고 와.

어둠 속 촛불이 조금 가까워졌다. 인선이 내 쪽으로 팔을 뻗은 것이다.

발자국 보여?

보여, 대답하며 나는 인선이 만들어놓은 오목한 눈구멍으로 발을 밀어넣었다.

발자국이 보일 만큼 빛을 놓치지 않고, 인선의 몸과 부딪히지도 않으며 걸으려면 두 걸음의 간격을 유지해야 했다. 같은 안무에 맞춰 몸을 움직이는 사람들처럼 우리는 앞으로 나아갔다. 같은 박자로 눈이 밟히는 소리가 차가운 정적 속에 부스러졌다.

아마와 아미가 묻힌 나무를 지날 때, 길게 늘어뜨린 흰 소매 같은 가지들이 불빛의 반경 속으로 들어와 선명해졌다. 나무에 눈길을 주지 않은 채 인선은 계속 나아갔다. 자신이 묻은 새는 이미 여기 없다고 믿는 듯 무심한 걸음걸이였다.

마당 끝 집담에 이르러서야 인선이 걸음을 멈췄다. 그녀를 따라잡은 내가 초를 받아들자, 인선은 두 손으로 담을 짚고 다리를 차례로 올려 건너편으로 넘어갔다. 그녀에게 초를 넘겨준 뒤 나도 담을 넘었다. 내 발이 담 밖으로 넘어오자마자 인선은 다시 앞장서서 걸었다.

*

인선의 발자국만 디뎌갔지만 운동화와 바지 밑단이 젖는 걸 피할 수 없었다. 두 팔을 뻗어 균형을 잡으며, 두 걸음의 간격을 놓치지 않으려 집중하며 나는 계속 나아갔다. 속눈썹에 눈송이들이 맺힐 때마다 손등으로 문질러 닦았다. 이 선득함이 인선에게도 느껴지는지 알고 싶었다. 그녀의 뺨에도 이 눈이 녹아 스며드는지. 그녀가 혼이라면 어디까지 나를 데려가려 하는지.

눈과 어둠 때문에 수종을 알아볼 수 없는 숲으로 들어섰다. 길이 휘어지는지 인선의 걸음이 완만한 호를 그렸다. 촛불이 아래위로 흔들리며 허공에 붉은 선을 그었다. 해독할 수 없는 수신호처럼. 한없이 느리게 날고 있는 화살처럼.

인선의 속도가 점점 느려졌다. 그녀의 속도에 맞춰 나도 더 천천히 나아갔다. 바람이 전혀 불지 않았다. 뺨을 스치는 눈송이의 감각이 믿을 수 없게 부드러웠다. 쉬지 않고 뛰는 맥 같은 종이컵

속 불꽃만이 두 걸음 앞에서 소리 없이 흔들리고 있었다.

아직 멀었어?

거의 다 왔어.

뒤를 돌아보지 않은 채 인선이 대답했다.

눈 덮인 나무들의 위쪽을 나는 올려다보았다. 우듬지가 보이지 않았다. 눈높이로 뻗어 있는 가지들에 촛불의 빛이 스칠 때마다 소금 알 같은 눈송이들이 반짝였다.

인선아.

함께 발을 내딛던 리듬을 깨며 내가 멈춰 서자, 눈 속으로 막 다음 발을 디딘 인선의 뒷모습이 보폭만큼 더 멀어졌다.

잠깐만, 인선아.

나를 돌아보는 인선의 얼굴이 불빛에 어른어른 빛났다. 종이컵을 감싸쥔 두 손이 촛불의 빛에 물들어 발그스름했다.

초가 얼마나 남았어?

아직 괜찮아.

종이컵 바닥에 낸 십자 구멍으로 나와 있던 초의 자루가 손가락 한 마디밖에 남지 않은 걸 나는 보았다. 지금부터 돌아간다 해도 집에 다다르기 전에 다 타버릴 거다.

이 숲만 지나면 건천이야, 달래듯 인선이 말했다.

그럴 리 없다고 나는 생각했다. 내가 기억하는 것과 방향이 달랐다. 하지만 내가 방향감각을 잃은 건지도 몰랐다. 건천이 둥글

게 숲을 감싸 흐르는 지형인지도 모른다.

돌아가자, 나는 말했다.

다음에 오자, 눈 그치고 다시.

고집스럽게 고개를 저으며 인선이 말했다.

……다음이 없을 수도 있잖아.

*

초가 얼마나 타들어갔을지 더이상 생각하지 않았다.

인선의 집에서 얼마나 멀어지고 있는지도 더 헤아리지 않았다.

이 걸음을 멈추는 것을 원하지 않는다고, 영원히 돌아가지 않아도 좋다고 느꼈을 때 인선이 뒤돌아보며 말했다.

다 왔어.

그녀가 든 촛불의 빛 속으로 어떤 나무도 들어와 있지 않았다. 완전한 어둠이 빛의 반경을 감싸고 있었다. 숲을 빠져나온 거다.

인선이 방향을 틀어 나아가는 대로 나는 뒤따라 걸었다. 건천의 기슭을 따라 올라가고 있는 듯했다. 덤불이나 관목이라고 짐작되는, 눈을 쓰고 웅크린 작은 자루들 같은 덩어리들이 빛의 동그라미 오른편으로 들어왔다 사라졌다.

왜 바로 내를 건너지 않는 걸까. 기슭이 가파르지 않은 곳, 미끄러져 눈 속으로 떨어지지 않을 완경사면을 찾는 건가. 인선이 나아가는 속도가 더이상 느리지 않았다. 한번 엇박자로 걸음이 벌어지자 빛이 내 발에 닿지 않았다. 인선의 발이 길을 내지 않은 모든 곳이 깊고 차가운 눈에 덮여 있었다. 그걸 헤치며 나아가는 동안 인선의 뒷모습은 어느새 어둠에 잠겨, 작은 혼 같은 빛이 먼 허공에 떠가고 있는 것처럼 보였다.

불빛이 허공에 멈춰 한자리에서 너울거렸다. 이제 건너려는 건가. 내가 눈 속 깊이 디딘 다리를 꺼내 다시 힘껏 내디디는 사이 불빛이 움직이기 시작했다. 멀어지지 않았다. 물에 띄운 초처럼 천천히 나를 향해 흘러 돌아왔다.

*

이것 봐.

인선이 내민 손바닥에 작고 단단한 열매 같은 게 놓여 있었다.

알 같지 않아?

동그랗고 반들반들한 그것의 표면에 붉은 점 하나가 핏점처럼 찍혀 있었다.

이게 핏방울처럼 조금씩 커진다. 그러다 무슨 새가 나오는 것같이 벌어져.

그러니까 열매가 아닌 거다. 구슬처럼 단단히 뭉쳐진 미색 꽃잎들 위로 설탕 같은 눈가루가 묻어 있었다. 촛불의 빛을 받아 입자들이 빛났다.

어린 나무라서 눈을 털어줬는데, 이미 봉오리가 부러져 있었어.

낙심한 듯 입을 꾹 다문 인선의 옆얼굴이 아이 같다고 나는 생각했다. 동시에 눈 덮인 머리칼이 완전히 센 은발처럼 보이기도 했다. 반쯤 오므린 그녀의 다른 손바닥이 종이컵을 받쳐들고 있는 것을 나는 보았다. 컵 안으로 자루를 다 밀어넣어야 할 만큼 초가 짧아진 거다.

네 말이 맞아, 꽃봉오리를 움켜쥐며 인선이 들릴 듯 말 듯 중얼거렸다. *곧 초가 다 탈 거야.*

이제 돌아가야겠어, 하고 인선이 뒤이어 중얼거렸을 때 나는 자신에게 물었다. 돌아가고 싶은가. *돌아갈 곳이 있나.* 비단이 미끄러져 떨어지듯 인선이 눈 속에 앉은 것은 그때였다.

돌아가자, 조금만 있다가.

나를 올려다보며 그녀가 말했다.

가서 내가 죽 끓여줄게.

*

밀도가 얼마나 낮은 눈인지, 내가 앉는 대로 끝없이 깊게 꺼져내렸다. 격벽 같은 눈이 우리를 갈라놓았다. 인선이 가슴 앞으로 모아쥔 촛불과 얼굴이 보일 뿐, 아래쪽의 몸은 눈의 벽에 가려 보이지 않았다.

여전히 바람이 불지 않았다. 낱낱의 눈송이들이 한없이 느리게 떨어지고 있어서, 레이스 커튼의 커다란 문양들처럼 허공에서 서로를 잇고 있는 것처럼 보였다.

이 기슭까지 엄마하고 가끔 왔어.

인선의 시선이 향한 곳을 나는 건너다보았다. 먹의 바다 같은 어둠뿐이었다. 어디까지 건천인지, 맞은편 기슭이 어디서 시작되는지 구별할 수 없었다.

폭풍이 지나간 다음날 처음 와봤어, 엄마가 물 구경을 가자고 해서. 아마 열 살이었을 거야. 아버지 돌아가시고 얼마 안 됐을 때.

인선의 얼굴이 나를 향했다. 어깨 아래까지 쌓인 눈이 반사 은판처럼 촛불 빛을 되비춰, 창백한 그녀의 뺨 안쪽에서부터 빛이 새어나오는 것처럼 보였다.

나무 한 그루가 뽑혀서 어마어마한 뿌리가 드러나 있던 게 기억나. 나무 자체는 그리 크지 않았는데, 뿌리가 우듬지의 세 배는 되어 보였어. 넋을 잃고 그걸 보느라 내가 멈춰 선 줄 모르고 엄마는 계속 앞으로 갔어. 날이 개긴 했지만 아직 바람이 센 날이었어. 젖은 흙에서 올라오는 냄새, 가지째 떨어진 꽃 냄새, 밤새 물살이 넘쳐 한 방향으로 누운 풀 냄새가 뒤섞여서 코가 얼얼했어. 빗물이 고인 웅덩이들이 햇빛을 되쏘아서 눈이 아렸어. 커다란 광목천 가운데를 가윗날로 가르는 것처럼 엄마는 몸으로 바람을 가르면서 나아가고 있었어. 블라우스랑 헐렁한 바지가 부풀 대로 부풀어서, 그때 내 눈엔 엄마 몸이 거인처럼 커다랗게 보였어.

모든 소리의 잔향이 허공의 눈송이들 속으로 빨려들어가고 있었다. 그녀의 숨소리가 들리지 않았다. 내가 내쉬는 숨소리도 눈의 입자들 속으로 삼켜졌다.

여기쯤 멈춰 서서 엄마는 저 건너를 봤어. 가슴 바로 아래까지 차오른 물이 폭포 같은 소리를 내면서 흘러갔어. 저렇게 가만히 있는 게 물 구경인가, 생각하며 엄마를 따라잡았던 기억이 나. 엄마가 쪼그려앉길래 나도 옆에 따라 앉았어. 내 기척에 엄마가 돌아보고는 가만히 웃으며 내 뺨을 손바닥으로 쓸었어. 뒷머리도, 어깨도, 등도 이어서 쓰다듬었어. 빠근한 사랑이 살갗을 타고 스며들었던 걸 기억해. 골수에 사무치고 심장이 오그라드는…… 그때 알았어. 사랑이 얼마나 무서운 고통인지.

*

섬으로 돌아온 뒤 가끔 그날을 생각했어.

급격히 상태가 나빠진 엄마가 밤마다 아이처럼 기어서 문턱을 넘어오면서부터는 더 자주.

잠들어 있던 내 입에 손가락을 물리고 얼굴을 쓰다듬으면서 엄

마는 아이처럼 울었어. 짜고 끈끈한 그 손가락을 억지로 빼내지 못하고 나는 견뎠어. 장사처럼 힘이 세진 엄마가 숨을 못 쉬도록 나를 껴안을 때는 다른 길이 없어서 마주 껴안았어.

우리 말고는 아무도 없는 집의 어둠 속에서, 그 으스러지는 포옹이 계속될수록 점점 엄마와 나의 몸을 구별할 수 없게 되었어. 얇은 피부, 그 아래 한줌 근육, 미지근한 체온과 혼란이 나의 것들과 뒤섞여서 한덩어리가 되었어.

엄마는 나를 죽어가는 동생이라고만 생각하지 않았어. 언니라고 믿을 때가 더 많았고, 어떨 때는 낯선 사람으로 여겼어. 자신을 구하러 온 모르는 어른. 무서운 악력으로 내 손목을 붙잡고 엄마는 말했어. 구해줍서. 해가 저물면 엄마는 더 깊은 혼란에 빠져 집 밖으로 나가고 싶어했어. 바깥이 얼마나 춥든, 걸친 옷이 얼마나 얇든 상관하지 않았어. 말릴수록 땀범벅이 되어 몸부림치는 엄마와 한몸이 되어서 씨름할 때마다, 내가 한 사람을 상대하고 있는 게 아니란 생각이 들었어. 근육이 거의 사라진 노인 한 사람의 힘이 어떻게 그렇게 셀 수 있었을까? 씨름 끝에 겨우 이부자리에 누이고 그 옆에 누워 눈을 붙이면, 그사이 정신이 돌아온 엄마는 내가 잠들려는 순간마다 흔들어 깨웠어. 지척에서 입을 벌린 혼돈 때문에. 잠드는 순간 모든 연결고리를 다시 놓쳐버릴까봐. 제발 삼십 분만이라도 이어 자게 해달라고 애원했지만 엄마는 듣지 않았어. 도와주라. 잠들지 말앙. 나 도와주라 인선아.

밤새 끓으며 타는 죽처럼 그렇게 우린 함께 튀고 흘러내렸어. 도와주라, 나 구해주렌. 속삭이다 잠든 얼굴에 손을 뻗었다가 물에 빠진 사람같이 젖은 뺨이 만져지면 엄마를 등지고 누워 생각했어. 내가 어떻게. 어떻게 당신을 내가 구해.

사실은 죽고 싶었다. 한동안은 정말 죽어야겠다는 생각뿐이었어. 요양보호사가 하루에 네 시간 다녀가게 되면서부터야 읍에 내려가 장을 보고, 트럭 안에서 두 시간이라도 이어서 눈을 붙이면서 버틸 수 있었어. 하지만 곧 둘만 있는 시간이 오고, 실랑이 끝에 기저귀를 갈고, 가벼운 편이라 해도 손목을 시큰거리게 하는 엄마 무릎을 들어올려 파우더를 두드리고, 내 손을 움켜잡고 잠든 엄마의 베개 옆에 머리를 묻으며 생각했어. 영원히 시간이 흐르지 않는다. 아무도 구하러 오지 않는다.

엄마의 정신이 극도로 맑아지는 순간들이 섬광처럼 찾아왔어. 예리하게 벼린 칼 같은 기억들이 엄마를 습격하는 때가. 그럴 때면 엄마는 이야기하고 또 이야기했어. 메스에 몸 가운데가 벌어진 사람처럼. 피투성이 기억들이 끝없이 쏟아져나오는 것처럼. 그 섬광이 지나가는 즉시 더한 혼란이 찾아왔어. 나를 끌고 기어가 식탁 아래 숨곤 했는데, 그때 엄마 머릿속 지형도에서 안방은 어릴 적 살던 한지내 집이고 내 방은 외가, 부엌으로 기어가는 길은 숲이었던 것 같아. 식탁 아래에서 날 껴안고 있던 엄마가 내 이름을 정확히 불러 놀라기도 했어. 그때 태어나지도 않았던 나를 지키려

고 엄마는 턱을 떨었어.

머릿속 수천 개 퓨즈들에 일제히 불꽃 튀는 전류가 흘렀다가 하나씩 끊기는 것 같은 과정을 나는 지켜봤어. 어느 순간부터 엄마는 나를 동생이나 언니로 생각하지 않았어. 자신을 구하러 온 어른이라고도 믿지 않았고, 더이상 도와달라고도 하지 않았어. 점점 나에게 말을 걸지 않고, 가끔 말한다 해도 단어들이 섬처럼 흩어졌어. 응, 아니, 라는 대답까지 하지 않게 되었을 때부터는 원하고 청하는 것도 없어졌어. 하지만 내가 까서 준 귤을 받아들면, 평생 새겨진 습관대로 반으로 갈라 큰 쪽을 나에게 건네며 가만히 웃었어. 그럴 때면 심장이 벌어지는 것 같았던 기억이 나. 아이를 낳아 기르면 이런 감정을 느끼게 되는 걸까 생각했던 것도.

그즈음부터 엄마는 잠을 잤어. 언제 그렇게 나에게 잠재우지 않는 고통을 주었느냐는 듯 하루의 삼분의 이, 나중엔 사분의 삼 이상을 잤어. 호스피스 병동에서 보낸 마지막 한 달은 거의 종일 잠들어 있었어. 밀물 때가 지나치게 긴 이상한 바다처럼. 모래펄이 완전히 잠긴 뒤 다시는 바다가 빠져나가지 않는 것처럼.

이상하지. 엄마가 사라지면 마침내 내 삶으로 돌아오는 거라고 생각했는데, 돌아갈 다리가 끊어지고 없었어. 더이상 내 방으로 기어오는 엄마가 없는데 잠을 잘 수 없었어. 더이상 죽어서 벗어날 필요가 없는데 계속해서 죽고 싶었어.

그러던 어느 새벽에 여기로 왔다.

너한테 했던 약속이 갑자기 생각나서. 나무들을 심을 수 있다고 말했던 땅을 제대로 보려고.

안개가 짙게 낀 날이었어. 십 년 사이 더 높게 자란 대나무 숲이 우듬지만 보였는데, 박명이 가시고 바람이 불기 시작하자 어둑한 전체 모습이 드러났어. 거기서부터 아버지의 집터를 찾는 건 어렵지 않았어. 울타리 대신 동백이 심겨 있고 마당 가운데 낮은 산담을 쌓은 무덤이 있는 집터는 한 곳뿐이었으니까. 풀에 덮인 초석 뒤편으로 펼쳐진 밭에 조릿대가 자라고 있었는데, 아직 남은 안개에 싸여서 마치 한계 없이 번져나가고 있는 것처럼 보였어.

그게 시작이었어.

다음날부터 세천리에 대한 자료를 찾기 시작했어. 증언을 남긴 노인이 살았던 바닷가 집에 다녀온 뒤로는, 섬에서 수장된 수천 명의 시신이 해류를 타고 쓰시마섬으로 떠내려갔으리라고 추정하는 논문을 읽었어. 엄마의 옷장 서랍에서 외삼촌에 관한 자료들을 발견한 건, 다음 차례로 쓰시마섬에 가야 할지, 칠십 년 전 해안에 밀려왔거나 도중에 가라앉은 유해를 어떻게 찾을 것인지 막막하게 생각하던 즈음이었어.

무거운 배의 키를 돌리듯 그때 방향을 틀었어. 엄마가 모은 자료들의 빈자리에 내가 새로 찾은 것들을 메꿔 넣으며 하루하루를 보냈어. 1960년 당시 엄마가 이 집과 대구와 경산을 오가며 몸을 실었을 배편과 버스, 기차의 경로를 추측하고 시간을 계산하면서는 내가 서서히 미쳐가고 있다고 느꼈어.

낮에는 공방에서 나무를 깎고, 밤이면 안채로 돌아와 구술 증언 자료들을 읽었어. 자료마다 다른 사망자들의 데이터를 대조해 확정했어. 오십 년 봉인이 해제된 후 접근 가능해진 미군 기록물들과 당시 언론 보도, 1948년과 1949년에 재판 없이 수감된 제주 수형인 명부와 보도연맹 학살 사이에서 사건들을 복기했어. 자료가 쌓여가며 윤곽이 선명해지던 어느 시점부터 스스로가 변형되는 걸 느꼈어. 인간이 인간에게 어떤 일을 저지른다 해도 더이상 놀라지 않을 것 같은 상태…… 심장 깊은 곳에서 무엇인가가 이미 떨어져나갔으며, 움푹 파인 그 자리를 적시고 나온 피는 더이상 붉지도, 힘차게 뿜어지지도 않으며, 너덜너덜한 절단면에서는 오직 단념만이 멈춰줄 통증이 깜박이는……

그게 엄마가 다녀온 곳이란 걸 나는 알았어. 악몽에서 깨어 세수를 하고 거울을 보면, 그 얼굴에 끈질기게 새겨져 있던 무엇인가가 내 얼굴에서도 배어나오고 있었으니까. 믿을 수 없는 건 날마다 햇빛이 돌아온다는 거였어. 꿈의 잔상 속에 숲으로 걸어나가면, 잔혹할 만큼 아름다운 빛이 나뭇잎들 사이로 파고들며 수천수만의 빛점을 만들고 있었어. 뼈들의 형상이 그 동그라미들 위로 어른거렸어. 활주로 아래 구덩이 속에서 무릎을 구부린 키 작은 사람을, 그 사람뿐 아니라 그 곁에 누운 모든 사람들이 살과 얼굴을 입는 환영을 그 빛 속에서 봤어. 흑백이 아니라 선혈로 얼룩진 옷을 입고 그 구덩이 속에, 방금까지 살아 있었던 부드러운 어깨와 팔과 다리로.

내 인생이 원래 무엇이었는지 더이상 알 수 없게 되었어. 오랫동안 애써야 가까스로 기억할 수 있었어. 그때마다 물었어. 어디로 떠내려가고 있는지. 이제 내가 누군지.

그 겨울 삼만 명의 사람들이 이 섬에서 살해되고, 이듬해 여름 육지에서 이십만 명이 살해된 건 우연의 연속이 아니야. 이 섬에 사는 삼십만 명을 다 죽여서라도 공산화를 막으라는 미군정의 명령이 있었고, 그걸 실현할 의지와 원한이 장전된 이북 출신 극우 청년단원들이 이 주간의 훈련을 마친 뒤 경찰복과 군복을 입고 섬으로 들어왔고, 해안이 봉쇄되었고, 언론이 통제되었고, 갓난아기의 머리에 총을 겨누는 광기가 허락되었고 오히려 포상되었고, 그렇게 죽은 열 살 미만 아이들이 천오백 명이었고, 그 전례에 피가 마르기 전에 전쟁이 터졌고, 이 섬에서 했던 그대로 모든 도시와 마을에서 추려낸 이십만 명이 트럭으로 운반되었고, 수용되고 총살돼 암매장되었고, 누구도 유해를 수습하는 게 허락되지 않았어. 전쟁은 끝난 게 아니라 휴전된 것뿐이었으니까. 휴전선 너머에 여전히 적이 있었으니까. 낙인찍힌 유족들도, 입을 떼는 순간 적의 편으로 낙인찍힐 다른 모든 사람들도 침묵했으니까. 골짜기와 광산과 활주로 아래에서 구슬 무더기와 구멍 뚫린 조그만 두개골들이 발굴될 때까지 그렇게 수십 년이 흘렀고, 아직도 뼈와 뼈들이 뒤섞인 채 묻혀 있어.

그 아이들.

절멸을 위해 죽인 아이들.

그 아이들을 생각하다 집을 나선 밤이었어. 태풍이 올 리 없는 10월이었는데 돌풍이 숲을 지나가고 있었어. 달을 삼켰다 뱉으며 구름들이 달리고, 별들이 쏟아질 듯 무더기로 빛나고, 모든 나무들이 뽑힐 듯 몸부림쳤어. 가지들이 불같이 일어서 날리고, 점퍼 속으로 풍선처럼 부푸는 바람이 거의 내 몸을 들어올리려고 했어. 한 발씩 힘껏 땅을 디디고 그 바람을 가르며 걷던 한순간 생각했어. 그들이 왔구나.

무섭지 않았어. 아니, 숨이 쉬어지지 않을 만큼 행복했어. 고통인지 황홀인지 모를 이상한 격정 속에서 그 차가운 바람을, 바람의 몸을 입은 사람들을 가르며 걸었어. 수천 개 투명한 바늘이 온몸에 꽂힌 것처럼, 그걸 타고 수혈처럼 생명이 흘러들어오는 걸 느끼면서. 나는 미친 사람처럼 보였거나 실제로 미쳤을 거야. 심장이 쪼개질 것같이 격렬하고 기이한 기쁨 속에서 생각했어. 너와 하기로 한 일을 이제 시작할 수 있겠다고.

*

눈 속에서 나는 기다렸다.

인선이 다음 말을 잇기를.

아니, 잇지 않기를.

*

등뒤로 펼쳐진 숲이 정적에 잠겨 있었다. 수 킬로미터 너머에서 아득하게 가지 부러지는 소리가 건너왔다.

두 손으로 초를 모아쥔 채 눈에 머리를 누이며 인선이 희미하게 중얼거렸다.

솜 속에 들어온 것 같아.

눈의 벽에 촛불이 감싸이자 사위가 더 어두워졌다. 내 눈앞에 떨어지고 있는 눈송이들이 거의 잿빛으로 보였다. 빛나는 것은 인선이 누운 곳으로 내리는 눈송이들뿐이었다. 코트 안에 껴입은 더플코트의 후드를 꺼내 쓰고 나도 눈 속에 누웠다. 인선의 목소리 쪽으로 고개를 돌리자, 두터운 눈의 격벽에서 스며 나온 빛이 음음하게 내 얼굴을 밝혔다.

*

이상해, 경하야.

네 생각을 날마다 했는데 정말 네가 왔어.

하도 생각해서 거의 네가 보일 것 같은 때도 있었는데.

캄캄한 어항을 들여다보는 것처럼.

유리에 얼굴을 붙이고 끈질기게 들여다보면 뭔가 안쪽에서 어른거리는 것같이.

*

무엇이 지금 우릴 보고 있나, 나는 생각했다. 우리 대화를 듣고 있는 누가 있나.

아니, 침묵하는 나무들뿐이다.

이 기슭에 우리를 밀봉하려는 눈뿐이다.

*

그렇게 이해하게 됐어, 처음 여기 왔을 때 엄마가 들려줬던 이야기를.

섬을 떠나 있던 십오 년 동안 아버지가 저 건너편을 지켜봤다고 그날 엄마는 말했어.

어떤 밤에는 환하게 달이 뜨고, 그 빛을 받은 동백 잎들이 반들반들 윤이 났다고. 어떤 새벽엔 마을길 가운데로 노루떼와 삵이 번갈아 다니고, 폭우가 퍼부으면 새로 생긴 물길이 이 냇가로 쏟아져 흘렀다고. 반쯤 불탄 대숲과 동백들이 다시 울창해지는 걸 그렇게 지켜봤다고 했어. 밤새 취침등이 밝혀진 감방에서 그걸 보고 있다가 눈을 감으면, 방금까지 나무들이 있던 자리마다 콩알같이 작은 불꽃들이 떠 있었다고 했어.

물론 믿을 수 없는 이야기라고 생각했어.

열 살 아이도 의심했던 이야기를 엄마가 얼마나 진지하게 생각했는지는 모르겠어. 언제 아버지에게 들은 이야기인지, 이 기슭에서 같이 저쪽을 건너다본 적이 있었는지도.

*

블라우스와 헐렁한 바지가 날개처럼 부풀어오른 여자의 뒷모습이 내 눈앞에 떠오른 건 그때였다. 볼펜 촉을 힘껏 누르고 모든 획을 꺾어 쓰는 사람. *포기하자. 이감된 날짜를 기일로 하자.* 섬으로 돌아오는 배에 혼자 올라 방금 들은 말을 곱씹는 사람. 마침내 수만 조각의 뼈들 앞에 다다른 사람. 머리를 숙이고, 굽은 허리를 더 구부리고 어둠 속으로 들어가는 사람.

*

이제는 그게 이상한 이야기라고 생각되지 않아, 인선이 말했다.

아버지가 십오 년 동안 형무소에도 있고 저 건너에도 있었던 것이.

책상 밑에서 내가 무릎을 구부리는 동시에 활주로 아래 구덩이 속에도 있었던 게.

네가 꾼 꿈을 생각하고 생각하면 캄캄한 어항 속 지느러미처럼 어른거리던 그림자가.

*

정말 누가 여기 함께 있나, 나는 생각했다. 동시에 두 곳에 존재하는, 관측하려 하는 찰나 한곳에 고정되는 빛처럼.

그게 너일까, 다음 순간 생각했다. 네가 지금 진동하는 실 끝에 이어져 있나. 어두운 어항 속을 들여다보듯, 되살아나려 하는 너의 병상에서.

*

아니, 그 반대인지도 모른다. 죽었거나 죽어가는 내가 끈질기게 이곳을 들여다보고 있는지도 모른다. 저 건천 하류의 어둠 속에서. 아마를 묻고 돌아와 누운 너의 차가운 방에서.

하지만 죽음이 이렇게 생생할 수 있나.

빰에 닿은 눈이 이토록 차갑게 스밀 수 있나.

*

……여기서 잠들면 안 되는데.

인선이 속삭였다.

잠깐 눈 좀 붙일게, 정말 잠깐만.

눈의 격벽 위로 그녀가 들어올려 내민 손바닥에 종이컵이 올려져 있었다. 나는 팔을 뻗어 그걸 받아들었다. 초는 손가락 반 마디만큼도 남지 않았지만 종이컵 전체가 따스했다. 그게 불꽃의 열기 때문인지 인선의 체온 때문인지 구별할 수 없었다.

종이컵을 눈앞에 쥐고 인선이 있는 쪽을 향해 모로 누웠다. 심지에서 쉼없이 솟는 불꽃의 빛이 스며, 떨어지는 눈송이들의 중심마다 불씨가 맺힌 것처럼 보였다. 불꽃의 가장자리를 건드린 눈송이가 감전된 듯 떨며 녹아 사라졌다. 이어서 떨어져내린 커다란 눈송이가 촛불의 파르스름한 심부에 닿은 순간 불꽃이 사그라들었다. 촛농에 잠겨 있던 심지가 연기를 뿜었다. 깜박이던 불티가 꺼졌다.

괜찮아. 나한테 불이 있어.

인선이 있는 쪽의 어둠을 향해 나는 말했다. 상체를 일으켜 주머니 속 성냥갑을 꺼냈다. 거칠거칠한 마찰면을 손끝으로 더듬었다. 거기 성냥개비를 부딪치자 불티와 함께 불꽃이 일었다. 황 타는 냄새가 번져왔다. 촛농에 잠긴 심지를 꺼내 불꽃을 옮겼지만 곧 꺼졌다. 엄지손톱까지 타들어온 성냥개비를 흔들어 끄자 다시 어둠이 모든 걸 지웠다. 인선의 숨소리가 들리지 않았다. 눈더미 너머에서 어떤 기척도 느껴지지 않았다.

아직 사라지지 마.

불이 당겨지면 네 손을 잡겠다고 나는 생각했다. 눈을 허물고 기어가 네 얼굴에 쌓인 눈을 닦을 거다. 내 손가락을 이로 갈라 피를 주겠다.

하지만 네 손이 잡히지 않는다면, 넌 지금 너의 병상에서 눈을

뜬 거야.

다시 환부에 바늘이 꽂히는 곳에서. 피와 전류가 함께 흐르는 곳에서.

숨을 들이마시고 나는 성냥을 그었다. 불붙지 않았다. 한번 더 내리치자 성냥개비가 꺾였다. 부러진 데를 더듬어 쥐고 다시 긋자 불꽃이 솟았다. 심장처럼. 고동치는 꽃봉오리처럼. 세상에서 가장 작은 새가 날개를 퍼덕인 것처럼.

* 이 책을 쓰기 위해 참고한 자료들 중 특히 도움을 받은 『제주 4·3생존자의 트라우마 그리고 미술치료』(김유경·김인근 지음, 학지사, 2014), 『4·3과 여성, 그 살아낸 날들의 기록』(제주4·3연구소 엮음, 각, 2019), 『빌레못굴, 그 끝없는 어둠 속에서』(제주4·3연구소 엮음, 한울, 2013), 『나, 죄 어수다』(이규철 사진, 제주4·3도민연대 기획, 눈빛, 2019), 『제주4·3사건 진상조사 보고서』(제주4·3사건진상조사보고서작성기획단 작성, 제주4·3사건진상규명및희생자명예회복위원회, 2003), 『지상에 숟가락 하나』(현기영 지음, 창비, 2018), 『4·3 그 진실을 찾아서』(양조훈 지음, 선인, 2015), 『국가폭력과 유해발굴의 사회문화사』(노용석 지음, 산지니, 2018), 『구하는 자의 정치학(求めの政治学)』(이정화, 岩波書店, 2004), 『할망은 희망』(정신지 지음, 가르스연구소, 2018), 『기억의 목소리』(허은실 글, 고현주 사진, 문학동네, 2021), 〈비념〉(임흥순 연출, 반달, 2012), 〈환생〉(임흥순 연출, 반달, 2017), 〈우리를 갈라놓는 것들〉(임흥순 연출, 반달, 2019), 〈기억의 전쟁〉(이길보라 연출, 고래, 2018)에 깊이 감사드린다.

작가의 말

2014년 6월에 이 책의 첫 두 페이지를 썼다. 2018년 세밑에야 그다음을 이어 쓰기 시작했으니, 이 소설과 내 삶이 묶여 있던 시간을 칠 년이라고 해야 할지 삼 년이라고 해야 할지 모르겠다.

이 소설을 쓰는 데 귀한 도움을 주신 양은석, 임혜송, 임홍순, 김민경, 이정화, 김진송, 배요섭, 정대훈, 조정희 님께 감사드린다. 오랜 시간 한결같이 기다려주신 이상술 편집자께, 마지막까지 힘을 나누어주신 김내리 편집자께, 마음으로 격려해주신 모든 분께 감사드린다.

몇 년 전 누군가 '다음에 무엇을 쓸 것이냐'고 물었을 때 사랑에 대한 소설이기를 바란다고 대답했던 것을 기억한다. 지금의 내 마

음도 같다. 이것이 지극한 사랑에 대한 소설이기를 빈다.

마음을 다해 감사드린다.

2021년 가을 초입에

한 강 드림

한강 스페셜 에디션
작별하지 않는다

인쇄일 2024년 11월 25일
발행일 2024년 12월 10일

지은이 한강

펴낸곳 (주)문학동네 | 펴낸이 김소영
출판등록 1993년 10월 22일 제2003-000045호
주소 10881 경기도 파주시 회동길 210
전자우편 editor@munhak.com | 대표전화 031)955-8888 | 팩스 031)955-8855
문의전화 031)955-2696(마케팅) 031)955-2678(편집)
문학동네카페 http://cafe.naver.com/mhdn
인스타그램 @munhakdongne | 트위터 @munhakdongne
북클럽문학동네 http://bookclubmunhak.com

ISBN 979-11-416-0160-7 04810
979-11-416-0159-1 (세트)

www.munhak.com